P9-DIF-524

Chicago Public Library
McKinley Park Branch
1915 W. 35th Street
Chicago, Illinois 60609
(312) 747 - 6082

DEMCO

EDICIÓN ORIGINAL

Dirección de la colección
Charles-Henri de Boissieu

Dirección editorial
Jules Chancel

Diseño gráfico y maquetación
Jean-Yves Grall

Cartografía
Légendes Cartographie

Documentación fotográfica
Briggett Noiseux

EDICIÓN ESPAÑOLA

Dirección editorial
Núria Lucena Cayuela

Coordinación editorial
Jordi Induráin Pons

Edición
Laura del Barrio Estévez

Traducción
Marga Latorre

Cubierta
Francesc Sala

© 2003 LAROUSSE/VUEF
© 2003 SPES EDITORIAL S.L.,
para la versión española

ISBN: 84-8332-464-4
Impresión: IME (Baume-les-Dames)

Reservados todos los derechos. El contenido de esta obra está protegido por la Ley, que establece penas de prisión y/o multas, además de las correspondientes indemnizaciones por daños y perjuicios, para quienes plagiaren, reprodujeren, distribuyeren o comunicaren públicamente, en todo o en parte y en cualquier tipo de soporte o a través de cualquier medio, una obra literaria, artística o científica sin la preceptiva autorización.

Yves Thoraval y Gari Ulubeyan

El Islam

un mosaico de culturas

Sp/ DS 36.77 .T46 2003
Thoraval, Yves.
El islam

LAROUSSE

Biblioteca Actual

Sumario

Islam

No existe un mundo musulmán en el
sentido político del término, y el nuevo
orden mundial que se está construyendo
no favorece el resurgimiento de esta
comunidad casi mítica.»
Yves Thoraval

Prólogo

En la actualidad, alrededor de una quinta parte de los habitantes del planeta, repartidos en los cinco continentes, son musulmanes y consideran el Corán como la fuente de su fe, de los preceptos fundamentales de su práctica religiosa y de las reglas de conducta que rigen su vida moral, social y, a veces, también política. Pero, ¿una fe y unas tradiciones comunes, afirmadas con mayor o menor énfasis, basta para definir el perfil del mundo musulmán cuya unidad, exaltada por sus elementos más radicales, en general, bajo el estandarte del islamismo, pone de manifiesto una profesión de fe política y un anhelo común, teniendo en cuenta la diversidad de la realidad musulmana? Este interrogante se ha planteado todavía con mayor fuerza tras los atentados del 11 de septiembre de 2001 en Estados Unidos. Paralelamente, se ha declarado una guerra contra el terrorismo, considerando como objetivo una red internacional islamista de contornos imprecisos, lo que ha tendido a exacerbar las tensiones entre el mundo occidental y el denominado mundo musulmán. En el momento en que esta coyuntura internacional parece sostener la antigua tesis de un «choque de civilizaciones», resulta útil recordar que la identidad musulmana es plural, y que sus relaciones con Occidente, cuya tecnología —y algunos valores— ha integrado, no se plantean en términos de conflicto, sino más bien como una forma de intercambio, a pesar del lastre del colonialismo. Pero, así como la globalización refuerza la preeminencia política, económica y cultural de Estados Unidos y de Occidente, las frustraciones acumuladas, ante la existencia de una comunidad musulmana política, tienden a forjar una conciencia y una opinión pública musulmanas basadas en el rechazo de los valores de una modernidad que se considera monopolio de Occidente. La vuelta a un cierto maniqueísmo hace que el mundo corra peligro de sufrir una nueva polarización.

Mumtaz Mahal, esposa favorita del emperador Chah Djahan (1628-1657), para la que hizo construir el Taj Mahal.

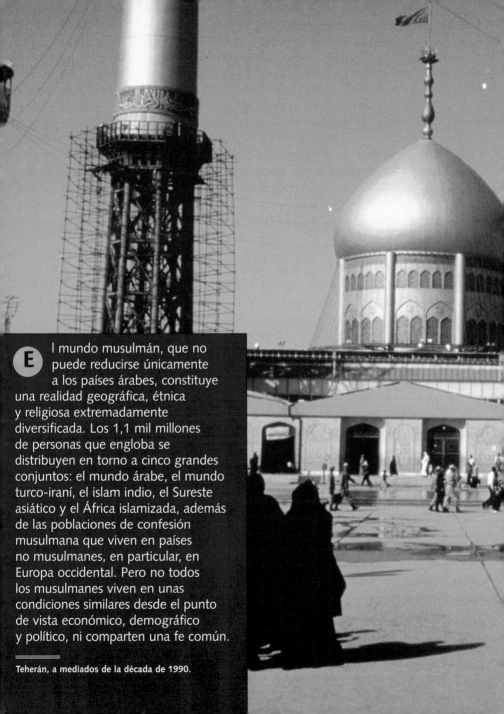

E l mundo musulmán, que no puede reducirse únicamente a los países árabes, constituye una realidad geográfica, étnica y religiosa extremadamente diversificada. Los 1,1 mil millones de personas que engloba se distribuyen en torno a cinco grandes conjuntos: el mundo árabe, el mundo turco-iraní, el islam indio, el Sureste asiático y el África islamizada, además de las poblaciones de confesión musulmana que viven en países no musulmanes, en particular, en Europa occidental. Pero no todos los musulmanes viven en unas condiciones similares desde el punto de vista económico, demográfico y político, ni comparten una fe común.

Teherán, a mediados de la década de 1990.

La situación en el mundo musulmán

La situación
en el mundo musulmán

Alrededor de 1,1 mil millones de personas, dispersas en los cinco continentes, forman actualmente lo que se denomina el mundo musulmán. Este término constituye un reflejo poco fiel de una realidad geográfica, étnica y religiosa muy diversa.

Cinco grandes conjuntos

Repartidos en una área geográfica que discurre de Marruecos a Indonesia, con ramificaciones en el resto del mundo, cada vez más abundantes, debido a los flujos migratorios acelerados por la globalización, más de mil millones de personas pertenecen actualmente al universo del islam. Si situamos el mundo musulmán detrás de China y la India en el ámbito estrictamente demográfico o geopolítico, el espacio ocupado por el islam no puede compararse con unos estados que, por otra parte, también cuentan con un gran número de musulmanes. Esta cifra crea perplejidad e inquietud. Sobre todo teniendo en cuenta que la curva demográfica seguirá ascendiendo en unas proporciones que, por otro lado, son menos importantes de lo que cree una opinión pública influida, a veces, por el fantasma del «peligro islámico». Forzosamente aleatorias, las proyecciones para el año 2025 arrojan la cifra de mil quinientos

Rezo en una gran mezquita de Java. Indonesia es, con mucha diferencia, el primer país musulmán.

Centro de investigación sobre el Corán en la ciudad santa de Qom. El estudio de los textos sagrados se pone al día con el uso de la informática.

millones de musulmanes en el mundo, entre los cuales tan sólo poco más de 200 millones serán árabes. Así, estas previsiones indican que serán minoritarios en el ámbito geográfico y quizá también en el espacio de influencia religiosa y cultural, sobre todo con respecto al islam asiático, que es el predominante. La Conferencia de países islámicos, una organización con objetivos políticos que agrupa a 31 estados, pretende superar esta diversidad geográfica y crear cierta coherencia y unidad en este mosaico étnico. No obstante, en la geografía del mundo musulmán contemporáneo pueden distinguirse cinco grandes conjuntos, a los que hay que añadir, con todas las precauciones que exigen las particulares condiciones del islam en este espacio, Europa occidental, que cuenta por lo menos con 15 millones de musulmanes. Por un lado, se encuentran África, el mundo árabe, en gran medida sunní (el sunnismo es la corriente mayoritaria del islam, basada en la sunna, que en árabe significa «costumbre», «tradición») y Oriente medio (el Irán chiita, Turquía y Afganistán, mayoritariamente sunníes), seguidos del subcontinente indio (Pakistán, la India y Bangla Desh, en su mayor parte sunníes), el Cáucaso/Asia central (por una parte, el Azerbaiján chiita y los pueblos caucasianos y, por otra, los estados centroasiáticos: Kazajstán, Kirguizistán, Uzbekistán, Turkmenistán, esencialmente sunníes, y Tadzhikistán, con predominio chiita); y por último, el sur y sureste asiáticos, sobre todo Indonesia y Malaysia. Es, pues, enorme la diversidad de los países que integran el llamado mundo musulmán.

El chiismo

Esta rama histórica del islam tiene su origen en el «partido de Alí» (en árabe, chiat Alí, de donde procede el vocablo «chiita»). Aunque los sunníes ortodoxos (el 90 % de los musulmanes) no han considerado nunca a los chiitas (el 10 % de los musulmanes) como herejes merecedores de la excomunión, se distinguen por importantes divergencias doctrinales. Así, por ejemplo, el culto a los doce imanes, de donde procede el calificativo de «imanita» o «duodecimano» (de los «doce imanes») que designa a esta corriente, mayoritaria en Irán. Iniciado por Alí (primo y yerno del Profeta), el linaje de estos imanes, considerados prácticamente iguales que Mahoma, se detuvo en el siglo IX con la «ocultación» del duodécimo titular, un niño. Desde entonces, los chiitas esperan el retorno escatológico del «imán oculto», una especie de mesías que regresará para devolver la justicia a la Tierra. Mientras este acontecimiento no tenga lugar, cualquier poder político se considera «ilegítimo». Por otra parte, en el chiismo existe un «clero» de mullahs (del árabe mawlā, «maestro»), entre el cual se halla la alta jerarquía de los «ayatollahs» («signos de Dios») que desempeñan el papel de intercesores entre Alá y los hombres, habilitada para tomar decisiones teológicas canónigas.

La situación en el mundo musulmán **11**

⟨ϟ⟩ **Rezo del atardecer en La Meca, en 1991.** En Arabia Saudí, el 80 % de los musulmanes son sunníes, y el 20 %, chiitas.

El mundo árabe

Desde el punto de vista político, y con el objetivo de crear de nuevo una hipotética unidad que no tuviera nada que ver con el «califato» histórico, los árabes se agruparon en la Liga árabe, creada en 1945 bajo los auspicios de Gran Bretaña. Los siete países fundadores fueron Arabia Saudí, Egipto, Iraq, Líbano, Siria, Yemen y Jordania, a los que más tarde se añadieron Argelia, Baḥrayn, las Comores, Djibouti, los Emiratos Árabes Unidos, Kuwayt, Libia, Marruecos, Mauritania, Omán, Palestina, Qaṭar, Somalia, Sudán y Túnez.

Actualmente hay 220 millones de árabes y arabófonos, entre los cuales se hallan unos 10 millones de árabes cristianos, oriundos de Oriente próximo, más numerosos en el Líbano (cerca del 40 % de la población) y en Egipto (del 10 al 12 % de la población), que en Siria e Iraq, donde predominan los ortodoxos griegos y los católicos melquitas. El futuro de estas comunidades está amenazado por la creciente presión del islamismo «radical»). Asimismo, debe mencionarse el estado de Israel, que cuenta con 1,4 millones de árabes palestinos, es decir, el 20 % de la población, de los que el 98 % son musulmanes, respecto a un reducido número de cristianos, siempre dispuestos a emigrar. Si bien por su historia el mundo árabe puede considerarse el heredero del islam clásico y, en este sentido, sigue ejerciendo una notable influencia en el resto del mundo musulmán, ya que es el centro histórico y religioso (baste como ejemplo el peregrinaje a La Meca y las grandes universidades, como la de Al-Azhar en El Cairo), cabe recordar que sólo constituye una parte muy diferenciada del mismo, y que la recurrente confusión entre «musulmanes» y «árabes» es fruto de un malentendido demasiado extendido. Se olvida así que los grandes países musulmanes no son árabes y que se encuentran en Asia. Tal es el caso de Indonesia, Pakistán e incluso la India, donde los musulmanes, aunque minoritarios, tienen un peso demográfico tan importante como el conjunto de los árabes.

El propio mundo árabe se encuentra a caballo entre dos continentes, Asia y, en particular, su parte occidental, Oriente medio con el Creciente fértil (la antigua Mesopotamia) y la península Arábiga, y el norte de África (el Magreb y Mašraq), donde esta fulgurante expansión religiosa denominada «hégira» vino acompañada de una colonización que impuso la lengua árabe a las poblaciones autóctonas. Desde la costa atlántica de Marruecos hasta las orillas de Omán, en el océano Índico, las identidades lingüística y étnica árabe autóctona o importada constituyen los cimientos de este vasto espacio cultural que tiene en común la lengua del Corán, el libro santo del islam. Se considera autóctona si se establece una filiación entre las tribus árabes que siguieron a Mahoma y a sus primos semitas, descendientes de las civilizaciones mesopotámicas o fenicias. Se considera importada en el norte de África.

Oriente medio y Oriente próximo

Por orden de adhesión a la Liga árabe: Arabia Saudí (21,1 millones de hab., 80 % de los cuales son sunníes respecto al 20 % de chiitas); Yemen (19 millones de hab., con el 53 % de sunníes y el 47 % de zaidíes, una rama moderada del chiismo en las altas mesetas); Iraq (23,5 millones de hab., de los que el 52 % son chiitas,

Abū Ẓabī, capital de Emiratos Árabes Unidos. La población de esta federación es mayoritariamente sunní.

La situación en el mundo musulmán **13**

Una iglesia en el centro de Bagdad. En Iraq hay un 52 % de chiitas, un 40 % de sunníes y una minoría cristiana nestoriana.

el 40 % sunníes y una minoría cristianos nestorianos); el Líbano (3,5 millones de hab., con el 57 % de musulmanes [21 % sunníes, 31 % chiitas, más del 5 % drusos y ala-wíes; los cristianos se dividen entre maronitas vinculados al catolicismo, griegos ortodoxos, griegos católicos, armenios católicos y ortodoxos y otras denominaciones]); Siria (16,6 millones de hab., de los que el 15 % son cristianos autóctonos); Jordania (5 millones de hab., casi todos sunníes, con una minoría cristiana autóctona); Kuwayt (1,9 millones de hab., con un 25 % de chiitas); Omán (2,6 millones de hab., con el 60 % de ibadíes, una secta musulmana propia de Omán, con ramificaciones en el Mzāb argelino, en Yerba (Túnez) y en Libia, así como medio millón de expatriados, entre los que predominan los indios y pakistaníes); Baḥrayn (652 000 hab., con el 40 % de chiitas); los Emiratos Árabes Unidos (2,6 millones de hab., mayoritariamente sunníes) y Qaṭar (575 000 hab., en su mayoría sunníes). Por último, cabe destacar la Autonomía Palestina (que prefigura el Estado de Palestina, cuya creación sigue pendiente de un acuerdo de paz con Israel), que actualmente está compuesta por una parte de Cisjordania, la franja de Gaza y Jerusalén-Este (3,3 millones de hab., mayoritariamente sunníes).

Norte de África

Egipto (69 millones de hab., de los que el 10 % son cristianos autóctonos, esencialmente coptos); Libia (5,4 millones de hab.); Túnez (9,5 millones de hab.); Argelia (30,8 millones de hab.); Marruecos (30,4 millones de hab.); Mauritania (2,7 millones de hab., donde coexisten moros árabo-bereberes y negros del África negra, todos ellos sunníes). Estos países son, en su gran mayoría, sunníes.

Hay que observar que, además de la Liga árabe, algunos de estos estados forman parte de otras instancias de cooperación regional, de una eficacia a veces discutible, que no bastan para solucionar los numerosos conflictos que les enfrentan en un mismo espacio regional, pero que crean un clima de tensión permanente. Así, existe la Unión del Magreb árabe (U.M.A.), de la que forman parte Argelia, Libia, Marruecos, Mauritania y Túnez, o el Consejo de cooperación del Golfo (C.C.G.), del que son miembros Arabia Saudí, Baḥrayn, los Emiratos Árabes Unidos, Kuwayt, el sultanato de Omán y también Qaṭar.

El wahhabismo

El wahhabismo está estrechamente vinculado a Arabia Saudí, donde el desierto de Najd constituye el crisol de esta corriente que da prioridad a la lectura más rigorista y formalista del Corán. El wahhabismo es el resultado de una alianza política y doctrinal entre su creador, Muhammad Ibn al-Wahhab (1703-1792) y Muhammad Ibn Saud, fundador de la dinastía saudí. Constituye la forma más estricta de la escuela hanbalita, de Ahmed ben Hanbal (780-855), una de las cuatro escuelas del islam sunní, junto con la hanafita (la más liberal), la malequita, que admite la noción de interpretación personal, y la chafita, en la que conviven el tradicionalismo y la interpretación. Al reconocer solamente el Corán y la sunna (tradición), el wahhabismo niega cualquier interpretación y condena algunas prácticas del islam, como el culto a los santos o el sufismo. Iconoclasta a ultranza, rechaza toda forma de adoración de las creaciones del hombre y de sus representaciones (imágenes, fotografías, televisión, cine) y, sobre todo, las relacionadas con el Profeta (reliquias, tumba, etc.). Los wahhabíes sienten una gran hostilidad por los chiitas, a los que acusan de divinizar a Alí. Desde su nacimiento en Arabia Saudí, donde se impuso desde 1918, el wahhabismo, que ya había ejercido su influencia en el islam del subcontinente indio, se ha extendido, a base de petrodólares, por el resto del mundo musulmán (Hanbali es el nombre de guerra de uno de los supuestos líderes del atentado de Kuta Beach, que tuvo lugar el 12 de octubre de 2002 en Bali), donde, sin embargo, sigue siendo una corriente minoritaria.

Una escuela en Mauritania. En este país, exclusivamente sunní, coexisten moros árabe-bereberes y negros del África negra.

HOLANDA
BÉLGICA
ALEMANIA
KAZAJSTÁN
FRANCIA
UZBESKISTÁN
BOSNIA H.
BULGARIA
AZERBAIJÁN
MACEDONIA
ALBANIA
TURKMENISTÁN
TURQUÍA
CHIPRE
SIRIA
TÚNEZ
LÍBANO
IRAQ
IRÁN
MARRUECOS
Jerusalén
JORDANIA
ISRAEL
KUWAYT
ARGELIA
LIBIA
EGIPTO
QATAR
Medina
E.A.U.
La Meca
ARABIA
SAUDÍ
OMÁN
MAURITANIA
SENEGAL
MALÍ
NÍGER
ERITREA
YEMEN
G.
TCHAD
DJIBOUTI
G.-B.
BURKINA
SUDÁN
GUINEA
NIGERIA
SIERRA
BENÍN
ETIOPÍA
LEONA
REPÚBLICA
SOMALIA
LIBERIA
CENTROAFRICANA
CAMERÚN
COSTA
GHANA
UGANDA
DE MARFIL
TOGO
KENYA
RUANDA
BURUNDI
TANZANIA

Porcentaje de población
musulmana respecto
al total del país
COMORES

MALAWI
MAURICIO

80%
MOZAMBIQUE
50%
MADAGASCAR
30%

5%

2%

Lugares santos comunes a todos los musulmanes

RUSIA

MONGOLIA

KIRGHIZISTÁN

TADJIKISTÁN

CHINA

AFGANISTÁN

PAKISTÁN

NEPAL

BHUTÁN

BANGLA DESH

BIRMANIA

INDIA

TAILANDIA

FILIPINAS

CAMBOYA

SRI
LANKA

BRUNEI

MALAYSIA

ALDIVAS

SINGAPUR

INDONESIA

AUSTRALIA

G: GAMBIA

G. B.: GUINEA BISSAU

El mundo turco-iraní

El mundo turcófono se extiende desde las orillas turcas del Bósforo, en el oeste, al Xinjiang chino, al este, pasando por las repúblicas exsoviéticas de Asia central y algunas regiones del Cáucaso, tales como la república exsoviética de Azerbaiján, además de la Federación rusa, que cuenta con algunos millones de tártaros y otros bashkir. Este conglomerado es el resultado de las grandes oleadas migratorias y de las invasiones de pueblos uralo-altaicos de Asia central y del sur de Siberia al dirigirse hacia el oeste durante los siglos X al XV. Algunos de estos pueblos abandonaron el budismo y adoptaron el islam antes de imponerlo en los lugares que conquistaban, en particular en los Balcanes durante la época del Imperio otomano. En la actualidad representa a unos 140 millones de personas (de las que 60 millones viven en Turquía) que practican un islam de obediencia generalmente sunní, excepto los azeríes chiitas o algunos turcos de rito alevi (una rama del chiismo). Estos pueblos evolucionaron de forma distinta. Así, por ejemplo, Turquía se decantó por Occidente; es miembro de la O.T.A.N. y candidata a entrar en la U.E., mientras que Asia central sigue estando influida por Rusia y se halla, en parte, bajo dominio chino. Sin embargo, a causa de su historia (el kemalismo en Turquía y el comunismo en Asia central) estos países comparten la misma tendencia al laicismo y una cierta fascinación por Istanbul, la antigua capital del mundo turcófono, o incluso musulmán, aunque la ideología panturquista o panturanista, que pretendía reunir a todos los pueblos turcófonos en un mismo conjunto político, actualmente no es más que un fantasma nacionalista. Alrededor de Turquía, mayoritariamente sunní (67,6 millones de hab., de los que, por lo menos, 13 millones son kurdos y hablan una lengua que forma parte del grupo iraní), se halla una zona formada por Azerbaiján, los pueblos musulmanes de la Rusia caucásica y las antiguas repúblicas soviéticas de Asia central:

• Azerbaiján cuenta con 8,1 millones de habitantes. Limítrofe con la provincia iraní epónima y con una lengua muy parecida al turco que se habla en Turquía, este

El Corán

El Corán (en árabe al-Qur'ān «la lectura» por excelencia), es el libro por excelencia de los musulmanes. Fuente primordial de la ley religiosa —la šarī'a— exalta la «sumisión a Dios» (éste es el sentido de la palabra «islam») y su unicidad, así como la misión profética de Mahoma.

Al «sellar» definitivamente una revelación «falsificada» por el judaísmo y el cristianismo, esta última palabra de Alá a todos los hombres «descendió» (éste es el término literal) directamente sobre un simple mortal, Mahoma, a través del ángel Gabriel (Yibrail), en beneficio de los árabes. El Corán está compuesto por 114 sūras (capítulos) que contienen 6 219 versículos de una longitud muy desigual. Dictado al día por el Profeta, fue posteriormente sistematizado siguiendo un orden cronológico arbitrario decreciente. Desde el punto de vista demográfico, el islam constituye, como se ha visto, un hecho esencialmente asiático, cuyo centro de gravedad se sitúa en el subcontinente indio y en el sur de Asia, con 650 millones de musulmanes. Pero su integración en la umma, es decir, en la gran comunidad musulmana, se llevó a cabo en un período más tardío, como una conversión más pacífica que la propia ŷihād, sobre todo en el Sureste asiático. Este espacio ocupa, pues, un lugar aparte en la génesis de la historia del mundo musulmán, como veremos más adelante.

Istanbul, grabado en madera del siglo XIX. La población turca practica un islam de obediencia generalmente sunní.

país es mayoritariamente chiita, lo que no impide que mantenga unas relaciones muy conflictivas con Irán y estreche lazos con Turquía, quien cuenta con sus enormes reservas petrolíferas.

• La Federación rusa está integrada por pueblos turcófonos, mayoritariamente sunníes, que actualmente han recuperado sus raíces musulmanas. Los países del norte del Cáucaso, aunque no pertenecen a la familia étnica turca, en el curso de la historia han mantenido unas estrechas relaciones con los turcos, que les prestaron su apoyo contra los ejércitos del zar. Estos vínculos se debilitaron durante el período soviético, que los agrupó en repúblicas autónomas con un total de 725 000 habitantes.

También en la vertiente septentrional rusa del Cáucaso, pero en el este, esta proximidad con Turquía se afianzó de forma más visible, en particular en la República de Chechenia que, antes de las dos guerras que la han devastado en la última década, tenía algo más de un millón de habitantes.

Mezquita de Majachkalá en el Daguestán. En esta república rusa, mayoritariamente sunní, el wahhabismo aumenta su influencia cada vez más.

Lo mismo ocurre con Daguestán (1,6 millones de habitantes de diversas etnias caucásicas, mayoritariamente sunníes, pero muy influidas por una tendencia radical del islam, el wahhabismo, a causa de la guerra). En el centro de la inmensidad rusa, enclavada en las estepas antiguamente dominadas por la Horda de Oro turco-mongol, la República del Tatarstán, rica en petróleo, constituye el principal foco de los turcófonos musulmanes de la Federación rusa que, en un momento dado, alentó un deseo de independencia que fue inmediatamente reprimido por el poder central y rápidamente olvidado por una población sunní, en general poco practicante. Junto con los tártaros del Tatarstán y Crimea (actualmente en Ucrania, desde donde intentan regresar después de un largo exilio en Asia central impuesto por Stalin), los tártaros de la antigua URSS constituyen una población de 7 millones de habitantes, casi la mitad de los 15 millones de musulmanes con que cuenta Rusia.

• Compuesta por cinco repúblicas independientes desde el hundimiento de la URSS en 1991, la antigua Asia central soviética cuenta con alrededor de 57 millones de ciudadanos, mayoritariamente musulmanes, que cohabitan con un número importante de emigrantes rusófonos que tienden a reducirse debido a la existencia de un movimiento migratorio hacia Rusia. La comunidad de religión y lenguas, pertenecientes a la familia turca —a excepción del Tadzhikistán— con variantes dialectales muy marcadas, no bastan para convertir este vasto espacio, muy recóndito, en un conjunto político coherente. Las rivalidades nacionales heredadas de la historia y los intereses económicos vinculados a los enormes recursos petrolíferos de la cuenca del mar Caspio dividen a los estados de esta región. La colonización rusa, que se remonta al siglo XVIII, ha contribuido a la creación de un extraordinario mosaico de pueblos, a menudo mezclados y reducidos al estado de minorías, tras unas fronteras artificiales, debido al maquiavelismo estalinista. Este hecho, constituye una fuente permanente de conflictos desde que estos pueblos accedieron a la independencia: Kazajstán (16,2 millones de hab., mayoritariamente no musulmanes, de los que el 50 % son kazakos y el 30 %, rusos); Kirguizistán (5 millones de hab., de los que el 61 % son kirguizes, el 15 % rusos y el 14 % uzbecos, mientras que tres millones de kirguizes viven en Uzbekistán, en Tadzhikistán, y algunos que se habían afincado en Afganistán han emigrado a Turquía desde que se inició la guerra afgano-soviética); Uzbekistán (25,2 millones de hab., el 90 % de los cuales son sunníes, con el 80 % de uzbecos y unas minorías rusófonas y tadzhiks); Turkmenistán (4,8 millones de hab., de los que el 82 % son turcomanos, el 9 % uzbecos, el 3 % rusos y el 4 % de etnias diversas).

El mundo turcófono islámico de Asia central engloba también las regiones occidentales de China. Son unas vastas extensiones donde los musulmanes, estrechamente controlados por el régimen de Pekín, que teme las veleidades redentoristas de los pueblos vecinos, se enfrentan a una activa colonización por parte de los han, la etnia china dominante, hasta el punto de convertirse en minoritarios en su región, como ocurre más al sur con los tibetanos budistas. Es el caso de los 9 millones de los uigur del Xinjiang chino, presuntos antepasados de los turcos de Turquía, o de los kirguizes del lado chino de la frontera. Los musulmanes de China, cuyo número se estima entre 35 y 40 millones de personas, entre los cuales hay 14 millones de origen chino islamizados, están tan en desventaja en el ámbito demográfico que ven amenazada su propia supervivencia.

Gran mezquita Dongguan en Xining, capital de Qinghai. La población musulmana de China se estima entre 35 y 50 millones de personas.

Por último, el Tadzhikistán iranófono, en los límites autorizados por un contexto regional muy tenso, está más vinculado a Afganistán e Irán, con los que comparte su adhesión al chiismo. Sin embargo, después de una larga guerra civil entre el gobierno criptocomunista y los islamistas, sigue siendo muy dependiente de Rusia. Este hecho nos lleva a hablar de otra civilización que se ha integrado al islam, aunque conserva una fuerte identidad cultural: el mundo iraní (grupo lingüístico indoeuropeo). Este conjunto cuenta con 76 millones de personas, sobre todo en Irán, pero también en Tadzhikistán (6,3 millones de hab., mayoritariamente chiitas), con zonas de población tadzhik en el vecino Uzbekistán y en Afganistán, donde la etnia pashto, mayoritaria, debe también asociarse a este grupo debido a su lengua y a su cultura. Irán (71,4 millones de hab., de los que el 80 % son chiitas) ha adoptado el chiismo, un elemento capital de su identidad nacional, que le ha permitido evolucionar de forma distinta en un mundo musulmán mayoritariamente sunní. Cabe citar también a los kurdos, cuyos diferentes dialectos forman parte del grupo iranófono. Se trata de un pueblo sin estado, repartido entre Irán, Turquía, Iraq y Siria, pero cuyo número de habitantes se estima entre 25 y 30 millones de personas. En total, 130 millones de individuos comparten la misma identidad lingüística iraní

Rezo de los combatientes en Jalalabad, al sureste de Kabul. La población afgana es mayoritariamente sunní.

con todas las variantes dialectales que supone la extensión de este vasto territorio entre los montes Zagros y el Indo. No todos ellos tienen la misma cultura, puesto que en los países turcófonos de Asia central, por ejemplo, se dejó sentir con el tiempo una importantísima influencia del mundo persa.

A caballo entre el mundo iraní y Asia central, con varias etnias representadas en su territorio, se encuentra Afganistán, una tierra básicamente de paso y de intercambio, que establece vínculos con el mundo indio. Ésta es una de las causas de los infortunios que ha sufrido este país tan dividido, codiciado por sus vecinos, devastado por veinte años de guerra civil y propulsado al primer plano de la escena internacional debido al islamismo radical de los talibanes. Éstos, al haber acogido en el país a las redes terroristas integristas de Al-Qaeda, lideradas por Ossama bin Laden, en 2001 fueron el blanco de la respuesta fulminante de Estados Unidos, quien les expulsó de Kabul, constituyendo así el primer frente abierto de la «guerra contra el terrorismo». Mosaico de pueblos, Afganistán cuenta con 22,5 millones de habitantes, esencialmente sunníes, que, en general, pertenecen a la familia lingüística iraní, como los pashto, mayoritarios, o los tadzhiks. Pero también existen importantes minorías turcófonas, como los uzbecos, así como 1,5 millón de hazaras de origen mogol, generalmente chiítas. Sin embargo, varios millones de afganos se han refugiado en Pakistán o principalmente en Irán, en espera de una auténtica normalización política en su país.

Aproximadamente, 142 millones de pakistaníes y varias decenas de millones de musulmanes indios hablan la lengua urdu (indoeuropea, con caracteres arabepersas y emparentada con el persa y el hindi), originaria de la misma civilización. Sin embargo, como hemos visto, la lengua no basta para definir la identidad de estos grandes conjuntos que constituyen el mundo musulmán.

El islam indio

A pesar de los puentes lingüísticos y culturales que unen los mundos iraní e indio, el islam indio, es decir, el que se practica en el subcontinente mayoritariamente hindú, una parte del cual fue convertido, sobre todo haciendo uso de la fuerza, por la dinastía de los mogoles procedentes de Asia central en el siglo XVI, constituye una entidad distinta, con un considerable peso demográfico. Primera comunidad musulmana en términos cuantitativos, puesto que cuenta con 500 millones de fieles, el islam indio comprende tres grandes grupos de una importancia demográfica y política parecida:

• Pakistán (145 millones de hab., mayoritariamente sunníes, con un 15 % de chiítas duodecimanos —la segunda comunidad chiíta después de Irán— y un 3 % de no musulmanes, que se distribuyen entre cristianos e hindúes que se quedaron en el país en el momento de las migraciones que tuvieron lugar después de la partición de 1947 con la India, de donde, por otra parte, es originario un número considerable de pakistaníes).

• Bangla Desh (140 millones de hab., de los cuales el 10 % son chiitas, además, también existe una importante minoría hindú, que actualmente pasa por un momento problemático). Este estado, el antiguo «Pakistán oriental», surgió de la sangrienta secesión del «Pakistán occidental» en 1971.

• Por último, la India, donde vive la mayor comunidad musulmana de la región, con 150 millones de fieles. Pero, respecto a los 1 000 millones de indios, de los que el 84 % son hindúes, los musulmanes tan sólo representan alrededor del 15 % de la población. Tierra de conquista y de predicación musulmana, la India ha sido también el refugio de diferentes pueblos, como se manifiesta en la existencia de unos 100 000 parsi, descendientes de los persas zoroástricos, que huyeron de las invasiones árabes a partir del siglo VII. Federación teóricamente laica, la India es también la mayor democracia del mundo, ya que cohabitan de forma armoniosa diferentes comunidades religiosas. Sin embargo, el país, después de la partición, se convirtió en el escenario de conflictos entre musulmanes e hindúes, exacerbados por las tensiones en la Cachemira india, donde la mayoría musulmana, enfrentada al poder central de Nueva Delhi, fue apoyada por Pakistán.

La religión mayoritaria es el brahmanismo, que deriva del antiguo vedismo (del nombre de los libros sagrados, los «Veda»). Con el tiempo ha ido evolucionando y recogiendo las creencias y los ritos populares.

Dos niños indios durante el rezo del Aïd-El-Fitr. El Aïd-El-Fitr señala el final del mes de ayuno, el ramadán. Los musulmanes constituyen una importante minoría en la India.

Escuela coránica o madrasa en Penang. En Malaysia, donde se practica un islam tradicionalmente liberal, también se ha producido un ascenso del islamismo político.

El Sureste asiático

Aunque no tiene una unidad étnica o lingüística, el Extremo oriente musulmán constituye también, a pesar de todo, un auténtico conjunto que cuenta con 250 millones de musulmanes sunníes —esencialmente en Indonesia, el primer estado musulmán del mundo en cuanto a población— que durante mucho tiempo han cohabitado pacíficamente con los fieles de otras religiones: budistas, hindúes, cristianos y, a veces, animistas. El Sureste asiático, de hecho, no ha sido nunca una tierra de ŷihād (guerra santa) y el islam sólo se introdujo de forma pacífica a partir del siglo XV, a través de los comerciantes procedentes de la India o Yemen, cuyo proselitismo enraizó sin necesidad de persecuciones contra los que profesaban otras religiones, que pasaron a ser minoritarias. Las identidades nacionales, forjadas por costumbres ancestrales, por ejemplo en Malaysia, dieron lugar a una interpretación singular y bastante liberal del islam, pero el ascenso del islamismo político tiende a poner en entredicho esta armoniosa cohabitación, en particular en Indonesia, sacudida por conflictos violentos entre comunidades y que, después del 11 de septiembre de 2001, se considera uno de los frentes más sensibles de la «guerra contra el terrorismo».

A Indonesia (215,6 millones de hab., de los que el 20 % son cristianos, animistas e hindúes) hay que sumar dos estados musulmanes vecinos lingüísticamente y bastante pró-

El palacio del sultán Abdul Samad en Kuala Lampur. En Malaysia, los musulmanes representan el 53 % de la población.

ximos: Malaysia (22,6 millones de hab.) y Brunei (335 000 hab.), un pequeño sultanato de la isla de Borneo, enriquecido por el petróleo, que lo sitúa entre los estados más ricos del mundo y cuyo sultán posee una de las más importantes fortunas del mundo.

Conviene observar que numerosos estados asiáticos no musulmanes cuentan con comunidades musulmanas más o menos importantes cuantitativamente: Srī Lanka, Birmania, Camboya, Tailandia y Filipinas, Singapur y China.

En todos estos países varias denominaciones religiosas han experimentado en los últimos años una expansión y una intensificación de sus actividades. Son, principalmente, los musulmanes, los protestantes y los católicos. Por ejemplo, en Filipinas, los católicos suman más del 80 % de la población. A continuación, se encuentran los musulmanes y después, muy por detrás, los protestantes (cuya expansión por las islas se produjo a raíz de la afluencia de pastores protestantes norteamericanos durante la guerra de la independencia) y otras religiones minoritarias, como la budista.

África

El África subsahariana, al igual que Oriente próximo, se convirtió al islam, en general pacíficamente, a partir del siglo XI, a través del comercio y de la esclavitud. Al entrar en contacto con las culturas locales, generalmente animistas, el islam se adaptó a las tradiciones de las poblaciones indígenas. De los 200 a 250 millones de musulmanes africanos que existen en la actualidad, la mayor parte se sienten, en primer lugar, africanos y luego musulmanes, lo que no impide, sin embargo, una fuerte renovación de proselitismo, teñido de costumbres locales, que los islamistas intentan erradicar, a veces con

violencia, como ha sucedido en Nigeria, en el norte de Sudán o en Somalia. El islam autóctono africano está representado, en proporciones variables, en la mayor parte de los actuales estados subsaharianos, donde, en general, convive pacíficamente con el cristianismo y el animismo, como en Burkina Fasso, Ghana, Costa de Marfil y Sierra Leona, donde los musulmanes representan más del 50 % de la población de estos países.

Los siguientes países cuentan desde el 50 al 90 % de musulmanes, en su mayoría sunníes: Senegal (9,7 millones de hab.); Nigeria (11,2 millones de hab.) y Malí (11,7 millones de hab.). El islam también es predominante en Djibouti (644 000 hab.) y en el archipiélago de las Comores, islamizado en el 90 % (727 000 hab.). Si bien África practica, en general, pacíficamente la religión musulmana, sin fanatismo y sin intentar convertirlo en un instrumento político, existen varios países que constituyen la excepción de esta regla: Nigeria (el «gigante» de África, con una población de 117 millones de habitantes, de los que el 40 % son musulmanes y el 50 %, cristianos, pero donde las manifestaciones de un islam

Un escolar en Tombouctou. Malí cuenta con un 90 % de musulmanes.

integrista van en aumento), Somalia (10 millones de hab., en su mayoría musulmanes sunníes) y Sudán (29,5 millones de habitantes islamizados en un 70 %, y donde el norte, marcado por un creciente integrismo, mantiene un enfrentamiento armado desde hace mucho tiempo con el sur, que es cristiano y animista). Mención aparte merece Etiopía, cuna y bastión del cristianismo en el Cuerno de África, donde la Iglesia nacional, de dogma monofisita, con su antigua liturgia, estaba implantada mucho antes del surgimiento del islam. Los musulmanes no han dejado de ganar terreno y, actualmente, representan el 45 % de la población. Asimismo, esta religión está presente, aunque de forma minoritaria, en África oriental —Tanzania, Mozambique, Kenya, Malawi— aunque cuenta con alrededor del 10 o el 20 % de fieles (40 % en Tanzania). Por último, como contrapartida del colonialismo, el islam también se ha implantado en Occidente, donde los flujos migratorios, regulares o clandestinos, acrecentados por el fenómeno de la globalización, tienden a reforzar su peso demográfico.

La mezquita central de Kano. Aunque Nigeria sólo cuenta con un 40 % de musulmanes, el ascenso del integrismo es muy notable en este país.

Un islam «desarraigado»

También merecen un análisis aparte los musulmanes de los Balcanes, es decir, los albaneses o los bosnios, que se convirtieron al islam en la época del Imperio otomano. Se estima que 17 millones de musulmanes, practicantes o no, se han establecido en Europa —de Irlanda a la frontera rusa y de los Balcanes a Sicilia y Portugal— de los cuales 5 millones viven en Francia, principalmente árabes y bereberes del

Sepelio de Jomeini en Teherán en junio de 1989. Los chiitas representan alrededor del 90 % de la población musulmana de Irán.

Magreb, así como originarios del África occidental francófona. En cuanto a Estados Unidos, existen 18 millones de musulmanes, con una mayoría de afroamericanos convertidos al islam y, más recientemente, inmigrantes del Próximo oriente y de Oriente medio, que han huido de las guerras que azotan a sus países.

Las tres últimas décadas del siglo xx también estuvieron marcadas por una afluencia de iraníes —antes y después de la revolución islámica— y musulmanes originarios del subcontinente indio (Pakistán, Bangla Desh, la India, etc.). Este islam «desarraigado» constituye el terreno abonado de un islamismo en busca de referencias identitarias en las comunidades que viven inmersas en sociedades en las que corren el peligro de ser asimiladas.

Sin embargo, el islam radical, aunque se ha demonizado de forma ostentosa, guiado, a veces, por un sensacionalismo que mantiene en las opiniones públicas el temor de una amenaza islamista, sigue siendo un fenómeno marginal, incapaz de ocultar el interés por integrarse en las comunidades que se adaptan a las leyes y las reglas dictadas por su entorno. Es mayoritario el número de musulmanes que practican un islam pacífico y que conviven en armonía con otras religiones y creencias de todo tipo.

A partir del siglo XIX, la mayor parte del mundo musulmán experimentó la dura experiencia del colonialismo europeo, principalmente británico, francés y holandés, que tuvo profundas consecuencias.
Nada más desaparecer el Imperio otomano, los diferentes pueblos musulmanes tuvieron que adaptarse al dominio occidental, lo que suscitó numerosos intentos de conciliar el islam con la modernidad de sus élites intelectuales y políticas.
En este sentido, puede citarse a Mehmet Alí, en Egipto, a la Liga islámica indonesia o al imán Chamile, en el Cáucaso.

Taj Mahal

La dura experiencia de la colonización

La dura experiencia de la colonización

Las recurrentes referencias a un islam tradicionalmente expansionista hacen olvidar demasiado a menudo que el contacto entre el llamado mundo musulmán y Europa se paralizó alrededor del siglo XV.

Después de que los turcos conquistaran Constantinopla (1453), la toma de Granada por los españoles (1492), como acto final de la Reconquista, señaló el final de la presencia árabe y musulmana en Europa occidental. El círculo se había cerrado. Los musulmanes árabes, que habían llegado a la península Ibérica gracias al impulso de la hégira (622), el gran movimiento de propagación del islam iniciado por el propio Mahoma desde la península Arábiga, fueron definitivamente expulsados de Europa occidental. Mientras, los turcos otomanos, en su marcha inexorable desde las estepas de Asia central hasta Asia menor, se asentaban en Europa occidental, donde impusieron su dominio durante siglos, lo que constituyó la última aventura expansionista de los musulmanes en Europa. Entre estas dos oleadas de expansión islámica en Europa (excluida Rusia), se puede considerar que las veleidades expansionistas fueron más bien obra de los europeos cristianos, quienes se trasladaron al Próximo oriente para luchar en las cruzadas, el primer «choque de civilizaciones» auténtico, que marcó de forma duradera las conciencias colectivas y que dio lugar a historiografías pa-

Córdoba, interior de la Gran Mezquita. Obra maestra de la arquitectura omeya, fue convertida en catedral durante el reinado de Carlos V.

Granada, los jardines de la Alhambra. El reino árabe de Granada se fundó en el siglo XI. Su capital, Granada, pasó a manos de los Reyes Católicos al final de la Reconquista.

ralelas e incluso contradictorias. Sólo a principios del siglo XIX, las relaciones se volvieron de nuevo conflictivas, mientras el mundo musulmán, cuyos intereses a partir del siglo XIII se habían desplazado hacia Oriente y África, tierras de conquista y proselitismo, olvidaba su interés por Occidente cuando no desconfiaba de él. Un nuevo fenómeno, al menos por su envergadura, surgió entonces en Europa occidental, el colonialismo, que marcó irreversiblemente la evolución del mundo moderno.

El brutal choque entre la Europa cristiana expansionista, en busca de nuevos espacios económicos, y el Oriente musulmán letárgico, inmerso en la rigidez de sus tradiciones, fue determinante para la evolución del mundo musulmán moderno y en sus relaciones con el resto del planeta. La llegada de los colonos con sus propias religiones (sobre todo el catolicismo y el protestantísmo) fue determinante en la evolución del fervor religioso islamista.

El contexto de la hégira

Mahoma (570 o 580-632) apareció en un momento en el que Arabia se beneficiaba del enfrentamiento persa-bizantino, que desviaba hacia el Ḥiŷaz (orillas del mar Rojo) una parte del tráfico entre el Mediterráneo y Extremo oriente. En una sociedad con una estructura tribal, esta situación tuvo una doble consecuencia: el crecimiento de las ciudades y de las oligarquías mercantiles, sobre todo en La Meca, y la penetración del monoteísmo judío o cristiano.

La dura experiencia de la colonización

La expansión del islam (661-750)

Océano Atlántico

REINO DE LOS FRANCOS

Poitiers 732

Gijón

REINO DE ASTURIAS

E s l a v o s

Avars

Zaragoza

Toledo

Córcega

Croatas

Sevilla

Córdoba

Baleares

Roma

REINO DE LOS LOMBARDOS

Serbios Búlgaros

Tánger

Yabal AL Tariq (Gibraltar)

Ceuta

Cerdeña

Nápoles

Bari

Tesalónica

Constantinop

Calcedo

Aghmat

Tlemcén

Cartago

Palermo

IMPERIO

ROMAN

MAGREB

Tahuda 683

Kairuán 670

Siracusa Sicilia

DE ORIENTE

669-674-717

Chip

IFRIQĪYYA

Trípoli

TRIPOLITANA

Barqah

Mar Mediterráneo

S Á H A R A

Alejandría

BARQAH

Fustat (El Cai

EGIPTO

Dominio de los omeyas en 661

Conquistas omeyas

➤ Avance musulmán hacia el este

➤ Avance musulmán hacia el oeste

Conquista de España

➤ Tariq ibn Ziyad (711-714)

➤ Musa ibn Nusayr (712-714)

➤ Invasión árabe en el reino franco

┄┄➤ Incursiones árabes en las costas de Sicilia y Cerdeña

✳ Batallas

➤ Ataques de la flota y los ejércitos árabes contra el imperio bizantino

Zonas disputadas entre bizantinos y musulmanes

Imperio bizantino en la segunda mitad del siglo VII

Imperio bizantino en 750

Protectorado chino bajo la dinastía de los tang (618-907)

◯ Los árabes asedian Constantinopla (674-678 y 717-718)

Talas
751

CUENCA
DEL TARIM

FERGANÁ

Kachgar

k h a z a r s

Mar
de
Aral

Bujará

MA WARA
AL-NAHR

Khersôn

CÁUCASO

Mar Caspio

CACHEMIRA

Mar Negro

Tiflis

Balkh

Trebisonda

Marw
(Merv)

JURĀSĀN

BĀMIYĀN

Kabul

ARMENIA

Cesarea

AZERBAIJÁN

GURGĀN

Nichapur

PENDJAB

Harāt

Multān

Mosul

TABARISTÁN

Harran

Grand Zab
749

Rayy (Rhagés)

Antioquía

DJAZIRA

Siffin

Hamadhān

Beirut

SIRIA

Iṣfahan

712-713

Damasco

Karbala

Madain

ṬINA

Mardj Rahit
684

Kufa

IRAQ

AHWAZ

710

SIND

Jerusalén

Basora

Daybul

Šīrāz

Golfo Pérsico

HEDJAZ

BAHRAYN

A
R
A
B
I
A

Suhar

Mar
de Omán

Mascate

OMÁN

Yanbu

Medina

Asuán

Mar Rojo

Djedda

La Meca

Tā'if

La expansion del islam en la época de los omeyas (661-750)

A pesar de la ruptura de la unidad espiritual del islam, la dinastía omeya mantuvo su unidad política favoreciendo la expansión territorial, a partir de Siria. En el oeste, hacia el Magreb (670) y hacia España (711); en el este, hacia los confines indio (713) y chino (715). Esta expansión se detuvo en Constantinopla, en 717, y en Poitiers, en 732.

Sanaa

YEMEN

Adén

500 km

El Imperio otomano, el hombre enfermo del islam

Este vasto movimiento de expansión a expensas del Oriente musulmán fue iniciado en 1798 por Bonaparte, quien ocupó Egipto, que en aquella época era una provincia del Imperio otomano. Sin embargo, esa ocupación militar no adquirió una dimensión colonial en el sentido moderno del término, sobre todo, porque se impuso a otra potencia imperial, el Imperio otomano turco, que se encontraba a caballo entre Asia, Europa y África. Éste, al mismo tiempo, suponía una instancia política que pretendía aglutinar el conjunto, o en todo caso, una gran parte, de la comunidad musulmana bajo el estandarte del califato y ejercía un dominio de tipo colonial sobre los pueblos musulmanes sometidos, entre ellos los egipcios arabófonos. Como hizo más tarde en los pueblos de Europa, el general francés exportó los conceptos modernos de nación y de soberanía nacional, al mismo tiempo que intentaba conseguir el favor de las élites locales, empezando por los «ulemas» (dignatarios religiosos), hasta que en 1801 los franceses fueron expulsados por los británicos, cuyas ambiciones imperiales revestían otras características.

La idea de nación, que impregnó los movimientos de independencia de los pueblos cristianos de los Balcanes y del Cáucaso que vivían bajo el yugo de los turcos otomanos, había germinado también en los pueblos musulmanes, condenando a un declive inexorable al Imperio otomano, que, a finales del siglo XIX, fue calificado como «el hombre enfermo de Europa».

Bonaparte abandona Egipto precipitadamente. En 1798, el joven general se lanzó a la conquista de Egipto que, en aquella época, era una provincia otomana.

Mehmet Alí, virrey de Egipto de 1805 a 1848. Apoyó a los otomanos en Arabia y en Grecia y posteriormente conquistó Sudán sin contar con ningún tipo de ayuda.

En este amplio movimiento de emancipación nacional que conmocionó las frágiles bases del Imperio otomano tomó cuerpo la «cuestión de Oriente», a la que las cancillerías europeas quisieron dar respuesta llenando el supuesto «vacío» de poder en Oriente próximo y en Oriente medio. Planteada así, la cuestión de Oriente, que se suponía que expresaba el ansia de libertad de los pueblos de la región, tanto cristianos como musulmanes, fue a menudo el pretexto de una intervención política. De hecho, se trataba de sustituir un dominio por otro, una situación en la que las élites locales, más o menos instruidas y abiertas al mundo exterior, desempeñaron un papel determinante, con sus intentos de reformas y con este diálogo desigual que se esbozó entre las civilizaciones.

La evolución del Egipto moderno resulta ejemplar en este sentido, ya que pone de relieve la esperanza y, más tarde, la desilusión suscitada en una nación musulmana por la llegada de los occidentales. El encuentro entre la modernidad europea y el Oriente musulmán produjo, en efecto, sus primeros resultados notables en Egipto, bajo el impulso de Mehmet Alí, quien pretendió que su país alcanzara el nivel europeo.

Mehmet Alí (1769-1849)

Oficial del ejército otomano, de origen albanés, se considera una de las grandes figuras de la modernidad en el mundo árabe. Nombrado jedive (virrey) de Egipto en 1805, comprendió que este país sólo progresaría adoptando las innovaciones técnicas, la habilidad militar y el sistema de educación europeos. Progresivamente, dotó a Egipto de instituciones modernas pioneras en la occidentalización en Oriente próximo, aunque, a cambio, sometió a los campesinos a una dura explotación y se produjo un catastrófico endeudamiento con Europa, que fue heredado por sus sucesores. La dinastía que fundó reinó hasta el golpe de estado nacionalista de Neguib y Gamal Abdel Nasser.

Egipto ofrecía en aquel momento la imagen del estado más moderno de la región, pero los británicos no permitieron que el injerto administrativo europeo se tradujera en una emancipación política. Traicionando sus verdaderos objetivos, en 1882 cortaron en seco las veleidades de independencia egipcias, haciendo oficial su protectorado sobre el valle del Nilo en 1914.

Dividir para reinar

Dentro de un contexto geopolítico, en una civilización muy diferente y alejada de Europa, que sólo había estado presente a través de los establecimientos comerciales, el colonialismo británico firmó el acta de defunción de otra potencia política musulmana en la India, el imperio mogol (dinastía de origen turco que reinó en la India desde 1526), que desapareció a partir de 1857. El debilitamiento o la desaparición de estos grandes conjuntos políticos musulmanes supuso el declive político del islam, que corrió paralelo al surgimiento de las naciones. Éste era un fenómeno a menudo artificial, profundamente alentado por los europeos, que seguían el principio imperial, ya comprobado, de «dividir para reinar». La mayor parte de los territorios musulmanes tuvieron el mismo fin, a excepción de algunos países, como es el caso de Afganistán, cuyas feroces tribus contaron con la protección de sus montañas, prácticamente inexpugnables, por lo que no sufrieron el dominio extranjero. En todos los lugares, desde Oriente próximo y Oriente medio, al oeste y al este de África, pasando por el Sureste asiático, la India o las estepas de Asia central, los musulmanes tuvieron que enfrentarse al ansia de conquista de los europeos, de manera que tuvieron que adaptarse de formas diversas a esta nueva realidad política y cultural que se les impuso, en ocasiones, oponiéndole una fuerte resistencia que los mantuvo en continua lucha.

El emperador mogol Farrūj Siyar, 1683-1719. Durante su reinado se llevaron a cabo numerosas campañas contra los sikhs.

Sha Yahán, 1628-1657. Emperador mogol, hizo construir el Taj Mahal en Agra para su esposa favorita, Mumtaz Mahal.

Conquista de Asia 1850-1914

SUECIA
FINLANDIA
RANCIA
IMPERIO ALEMÁN
PAÍSES BÁLTICOS
San Petersburgo
Arjáguelsk
S I B E R I
Varsovia
POLONIA
Moscú
I M P E R I O   R U S O
IMPERIO
Odessa
Irkutsk
Constantinopla
Mar Negro
smirna
Ankara
Astraján
Mar Caspio
ALTÁI
CAUCASO
ARMENIA
Tiflis
Mar de Aral
Aiguz
MONGOLIA EXTERIOR
Chipre 1878
OTOMANO
Bakou
Kopal
Kulya
Mosul
Krasnovodsk
Tachkent
Narynrkoie
El Cairo
Bujará
Andiján
Samarkanda
XINJIANG
C H I N A
EGIPTO
ELBURZ
Bagdad
Teherán
Merv 1884
PAMIR
Yarkand
Ispahan
HINDU-KUCH
Bassora
Harāt
Peshāwar
SICHUAN
Kuwayt
Ābādān
Kabul
Medina
IRÁN
Kandahar
AFGANISTÁN
TÍBET
Lhassa
Riyād
Bahreïn
SĪSTĀN
Quetta
Kalat
BALUCHISTÁN
Delhi
HIMALAYA
La Meca
Lucknow
NÉPAL
BHOUTAN
Cawnpore
A R A B I A
Dju
Chandernagor
BENGALE
BIRMANIA 1886-1889
Mar Rojo
Damão
IMPERIO DE LAS INDIAS
Calcuta
Adén
Bombay
Yibuyi 1888
SOMALIA BRITÁNICA
Rangún 1885
Bang
Mar de Omán
Goa
Madrás
Andamán 1858 G.-B.
Pondichery
Karikal
Colombo
Ceilán
Nicobar 1859 G.-B.

Océano Índico

1000 km

Ejes de penetración

Política

→ Británicos

→ Rusos

Económica

→ Alemanes

→ Británicos

→ Franceses

◯ Sectores neurálgicos

Rusos

Pueblos alógenos donde los rusos llevaban a cabo una rusificación intensiva

Territorios conquistados por los rusos de 1850 a 1900

▪ Fuertes rusos

Ingleses

▪ Posesiones inglesas

Zona de influencia inglesa

Franceses

▪ Posesiones francesas a finales del siglo XIX

Portugueses

▪ Posesiones portuguesas

Irán 1907

------ Influencia rusa

------ Influencia inglesa

Rebelión de los musulmanes entre 1861 y 1908

✳ Batallas

◈ Tratados

Sakhaline

Aihun 1858
MANCHURIA

Vladivostok

JAPÓN

ONGOLIA EXTERIOR

Mukden 1905

Tokyo

COREA 1905

Pekín 1860

Seúl

Tianjin 1858

Shimonoseki 1895

Tsushima 1905

HAANXI

Nankín
Shanghai

Formosa

Canton

Océano Pacífico

Lang Son 1885

Hong Kong

Macao

ONKÍN
Hanoi Hainan

FILIPINAS
1898 Estados Unidos

ANNAM

INDOCHINA

AMBOYA

Saigón

ONCHINCHINA

BORNEO SEPTENTRIONAL

Brunei

ADOS LAYOS

SARAWAK

Malacca

Borneo

Célebes

Singapur

INDIAS HOLANDESAS

umatra

El incidente de Argel el 30 de abril de 1827. El bey de Argel golpea con su espantamoscas a Pierre Deval, el cónsul de Francia. Este incidente fue el pretexto para el desembarco francés en Argelia.

A las puertas de la primera guerra mundial, la mayor parte del mundo musulmán se encontraba, pues, en grados diversos, bajo el dominio o el control de los europeos, quienes, empujados por unas rivalidades inducidas por la propia dinámica del colonialismo, se entregaron a un gran número de conquistas con el objetivo de dominar el mayor número posible de países para apropiarse de sus riquezas. Así, por ejemplo, Gran Bretaña se hizo con el control de Egipto en 1882, mientras que Francia se asentaba en el norte de África (Magreb), desde donde ejerció progresivamente su dominio en Argelia (de 1830 a 1890), convirtió a Túnez en un protectorado en 1881 y ocupó Marruecos en 1912. Asimismo, Italia intentó edificar un imperio colonial sobre las ruinas del Imperio otomano en el norte del Sahara, por medio de la conquista de Libia en 1911.

El triunfo del colonialismo, del Imperio mogol a Indonesia

Haciendo retroceder sus fronteras coloniales cada vez más hacia el este, la Europa conquistadora, durante el mismo período, entró en contacto directo con los musulmanes del otro lado del mundo, hasta entonces sólo conocidos gracias a los relatos

42

de los viajeros o a las relaciones comerciales que existían desde hacía siglos, debido a los largos periplos marítimos y caravaneros por las rutas de la seda o de las especias, principales ejes de los comerciantes que unían las orillas asiáticas del Pacífico con las costas atlánticas de Europa. Sin embargo, mucho antes de que aparecieran los europeos, el continente asiático gozaba de una economía floreciente. Los mercaderes árabes, buenos navegantes y hábiles hombres de negocios fueron durante mucho tiempo los principales intermediarios en el comercio entre Occidente y Oriente y desempeñaron un papel preponderante.

Estas relaciones comerciales propiciaron un intenso proselitismo musulmán que supuso la conversión de poblaciones enteras, algunas de las cuales habían adorado el panteón hindú o profesaban el budismo desde hacía siglos, mientras que otras practicaban el animismo o el chamanismo. Así, el islam se implantó a partir del siglo XIII en la mayoría de los lugares del Sureste asiático y de Oceanía. Normalmente se impuso a través de conversiones pacíficas y fue progresando hasta llegar a ser la religión dominante en el archipiélago indonesio, que actualmente es el primer estado musulmán del planeta si se tiene en cuenta su población. Estas conversiones masivas se tradujeron políticamente con la creación de numerosos sultanatos que no tardaron en establecer relaciones con los europeos.

Viajeros, comerciantes y misioneros

Al mismo tiempo, algunos viajeros europeos se aventuraron por estas tierras desconocidas y fueron seguidos inmediatamente por comerciantes, más tarde por misioneros y, por último, por soldados encargados de proteger los primeros establecimientos comerciales que se habían creado. Esta vanguardia colonial, constituida desde el siglo XVI por los portugueses y, más tarde, por los holandeses (a partir del siglo XVII), fue progresivamente percibida por los sultanatos como una amenaza directa. Éstos se opusieron al objetivo de la Dutch East India Company (Compañía holandesa de las Indias Orientales) de hacerse con la hegemonía comercial y política hasta el siglo XIX, momento en que los holandeses asentaron su dominio sobre la mayor parte de Indonesia. Entre 1873 y 1912, esta toma del control político se enfrentó con la dura resistencia, brutalmente reprimida, del sultanato de Aceh, que, actualmente, por otra parte, constituye la base de una islamización en el archipiélago indonesio. Esta provincia, situada en la isla de Sumatra, sigue mostrando una clara rebeldía frente a las autoridades de Yakarta desde la década de 1980.

 **Colono e indígenas en Indonesia.** Instrumento de la conquista, la Compañía holandesa de las Indias Orientales fue creada en 1602.

Filipinas, otro archipiélago situado en el sur del Pacífico, sufrió durante tres siglos la presencia colonial de los españoles (a partir de 1521), suplantados por los americanos a principios del siglo XX, así como una masiva cristianización de la población (el 95 % es católica), algo que no tiene paralelo en la región. El islam, muy minoritario y concentrado esencialmente en Mindanao y en las islas vecinas del sur del país, consideró esta preeminencia del cristianismo como un dominio de tipo colonial. En la península malaya, donde el islam constituye la religión dominante a partir de las conversiones que se fueron produciendo desde el siglo XVI, los británicos, sobre una base puramente contractual con los sultanatos de la región, cuestionaron el orden político existente hasta el siglo XIX. Singapur obtuvo así un estatuto de protectorado en 1914. De él surgió el pequeño estado insular (15 % de musulmanes) que, actualmente, se sitúa entre las primeras potencias económicas y financieras de la región, donde constituye un

Los reformistas del Sureste asiático

En 1912, en Indonesia surgieron dos importantes movimientos de resistencia frente a los colonizadores holandeses encabezados por la Sarikat islam (Liga islámica): la Muhammadiyyah (el camino de Mahoma), que creó escuelas coránicas y hospitales, en los que, en la década de 1920, las mujeres formaban una sección aparte; y la Asociación de ulemas, creada durante los años 1920-1930, más conservadora respecto a las mujeres y violentamente anticomunista. En la vecina Malasia, algunos periódicos reformistas, como *el-Imam*, creado en 1906, influyeron en la opinión pública local al hacer hincapié en la importancia de la educación, y llevar a cabo un llamamiento a los musulmanes para que abandonaran las prácticas no musulmanas. Asimismo, criticaban las tendencias sincretistas que habían integrado las «costumbres» preislámicas, vestigios del sustrato autóctono budista e hindú. Algunos de estos reformadores musulmanes participaron, lógicamente, en las luchas anticolonialistas.

enclave occidentalizado, símbolo de un capitalismo triunfante que pretende superar las diferencias étnicas y religiosas. En la lógica imperial de los británicos, Malaysia, sin embargo, sólo tenía el limitado interés de constituir el apéndice oriental del imperio de las Indias, que asumió el objetivo de defender y reforzar su flanco este a lo largo del siglo XIX.

El centro de este inmenso imperio, que iba desde las orillas del Indo, al oeste, hasta la península malaya, al este, pasando por Birmania y Nepal, estaba situado en este subcontinente indio dominado por múltiples etnias y religiones. Antes de la llegada de los británicos, el Imperio mogol musulmán (1526-1858) ya había instaurado una cierta unidad política después de enfrentarse con las fuertes resistencias de las poblaciones autóctonas, mayoritariamente de confesión hindú. Surgido del poderoso ascenso de los señores (kans) musulmanes de Afganistán, que habían ido imponiendo progresivamente su dominio a numerosos estados feudales del norte de la India desde el sultanato turco-afgano de Delhi (1206-1555), el Imperio mogol creó una brillante civilización que, por otra parte, era profundamente deudora de los elementos culturales indígenas que había adoptado en algunas ocasiones. El islam de los soberanos mogoles, corriente que se oponía al hinduismo politeísta, intentó a veces erradicarlo por la fuerza, aunque, a menudo, lo toleró tanto por convicción religiosa, influido por la tradición mística sufí arraigada en las sociedades musulmanas de la región, como por una voluntad política o simplemente por necesidad ante el número de hindúes y su adscripción a esta religión.

A pesar de que alternaba períodos de dura represión con otros de una relativa tolerancia, el reinado de los emperadores mogoles no pudo

Peregrinos en el Taj Mahal. La dinastía de los grandes mogoles, que reinó en la India de 1526 a 1857, legó una excepcional arquitectura islámica.

resistir el desequilibrio demográfico que suponía que una minoría musulmana dominara a una masa hindú, regida por un sistema social basado en las castas y estrechamente vinculado a sus tradiciones religiosas. Así, cuando los colonizadores ingleses aparecieron en la región, el Imperio mogol se hallaba ya en una fase de desintegración, puesto que los últimos emperadores, que acababan de arruinar al país para seguir con el fastuoso tren de vida de su corte, ya no eran capaces de mantener una unidad política, amenazada, en particular, en el sur a causa de las rebeliones de los príncipes hindúes, quienes crearon principados e incluso reinos autónomos.

Los británicos se aprovecharon de esta situación y, hábilmente, supieron sacar partido a estos movimientos de sedición para dar el golpe de gracia al Imperio mogol, cuyo último soberano, Bahadur Sha II, fue destronado y tuvo que exiliarse en Birmania en 1858. A partir de ese momento, la presencia británica ni siquiera consideró útil escudarse en la fachada comercial tras la que se había introducido en el subcontinente indio. La Compañía inglesa de las Indias Orientales (East India Company) dio paso, a partir de 1858, a una estructura política establecida al servicio del «Raj» —la corona británica— que ejerció un control directo sobre el dominio indio desde Calcuta, la capital administrativa, que en 1911 fue trasladada a Delhi.

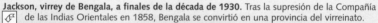

Jackson, virrey de Bengala, a finales de la década de 1930. Tras la supresión de la Compañía de las Indias Orientales en 1858, Bengala se convirtió en una provincia del virreinato.

El Imperio ruso en el Cáucaso y en Asia central

En su avance hacia Oriente, los británicos vieron contrariadas sus ambiciones, como ocurrió en Oriente próximo, debido a otras potencias coloniales, tales como Francia y, sobre todo, Rusia. Si bien el Imperio francés no pudo implantar en el subcontinente indio su dominio, a excepción de algunos establecimientos comerciales (Mahé, Pondicherry y Chandernagor), el Imperio ruso, en cambio, muy pronto representó una amenaza para la hegemonía británica en la región. Al contrario que los imperios coloniales británico o francés, el imperio ruso se constituyó sobre la base de un expansionismo esencialmente territorial, por otra parte, con bastante anterioridad al surgimiento del colonialismo. Era el resultado de un inexorable empuje hacia el este de los colonos y más tarde de los soldados de la Rusia ortodoxa a partir del siglo XVI, cuando consiguió librarse del yugo de la Horda de Oro, o, lo que es lo mismo, de los kanes tártaros (turco-mogoles) convertidos al islam, que habían dominado las estepas rusas durante casi tres siglos. Una vez invertida la relación de fuerzas a su favor, Rusia prosiguió su larga «cruzada» en solitario a través de Siberia, desde Moscovia hasta las orillas del Pacífico, sometiendo a su paso a unas poblaciones indígenas poco numerosas. Éstas se hallaban en un medio ortodoxo, como es el caso de los tártaros, cuya actual región, denominada Tatarstán (capital Kazán), constituye el principal núcleo de población de la Federación de Rusia.

La resistencia de los estados musulmanes

La presencia rusa, considerada el resultado de una dura colonización, provocó también algunos intentos por parte de las élites musulmanas locales, entre las que hay que destacar a Ismail Bey Gaprinski, de abrir a la sociedad a las ideas procedentes de Europa. Como si se tratara de una prolongación natural de Moscovia y de las estepas siberianas, Rusia se extendió también hacia el sur, hacia el Cáucaso y Asia central, donde tuvo que enfrentarse a imperios o estados musulmanes que opusieron una fuerte resistencia. A finales del siglo XVIII, Rusia llegó a las puertas del Cáucaso, después de salir victoriosa de las guerras contra el Imperio otomano, que le cedió Crimea (poblada, en parte, por tártaros musulmanes), las orillas del mar Negro y las llanuras meridionales de Ucrania. El imperio zarista se enfrentó una vez más a los otomanos, así como a Persia, en su avance hacia el sur de la elevada cadena de montañas que delimitan teóricamente la frontera entre Europa y Asia. Su empuje se vio, en parte, facilitado y justificado por las llamadas de ayuda lan-

Ismail Bey Gaprinski

Formado en Europa, este periodista y publicista, originario de la región de los tártaros de Crimea, anexionada por Rusia, creó el movimiento *yadid* (en árabe «nuevo»). Éste disponía de un periódico, *Terdjuman*, a través del cual propagaba sus proyectos de reforma de la educación religiosa y, de forma más general, de modernización de los métodos educativos, que se debían tener acceso las mujeres. También preconizaba la enseñanza del ruso —la lengua de relación del imperio— en las madrasas (escuelas coránicas). La primera escuela del movimiento *yadid* abrió sus puertas en 1884, y la experiencia se extendió por los territorios musulmanes colonizados por la Rusia zarista a partir de 1910, incluida Asia central. Arrastrado por las turbulencias de la primera guerra mundial y la revolución de octubre, el movimiento no sobrevivió a su fundador, quien falleció en 1914.

zadas por los pueblos cristianos de la región, es decir, los georgianos y los armenios, quienes a principios del siglo XIX fueron integrados al Imperio ruso en detrimento de Persia (en el caso de los armenios sólo en parte, puesto que estaban divididos entre el Imperio otomano y Persia). Pero, al mismo tiempo, los ejércitos del zar tuvieron que hacer frente a la resistencia de los pueblos musulmanes asentados a ambos lados del Cáucaso. Se trataba de unas etnias autóctonas, sobre todo de origen caucasiano y tártaros turcófonos de Azerbaiján, que se rebelaron contra la autoridad del zar y buscaron la protección del Imperio otomano. Considerado como el protector de los cristianos de Oriente, desde los Balcanes hasta el Cáucaso, y pregonando su ambición de convertirse en la «tercera Roma», el Imperio ruso, a pesar de su dimensión multiétnica, fue considerado por los musulmanes como una potencia colonial insoportable, lo que exacerbó sus sentimientos religiosos. Así, la resistencia contra las tropas rusas alentó los movimientos más rigoristas. Desde finales del siglo XVIII, el espíritu de la ŷihād se extendió entre los combatientes enviados por el imán checheno Mansur contra el ejército imperial (1785-1791), el primero de un linaje de señores de la guerra que, como Ghazi Mohamed, Hamza Bek y, sobre todo, el imán Chamil, se enfrentaron a los rusos, quienes tardaron más de cincuenta años en conseguir la victoria y pacificar el Daguestán y Chechenia (1864).

El imán Chamil en un dibujo realizado en 1855. Se enfrentó con los cosacos y con los ejércitos del zar Nicolás

Sin embargo, las potencias occidentales frenaron el avance de Rusia hacia Europa oriental y balcánica y no dudaron en apoyar al Imperio otomano durante la guerra de Crimea (1854-1856) para impedir que los rusos controlaran el estrecho de los Dardanelos y el del Bósforo, que constituían el principal reto económico y político de la época. Pero el Imperio ruso no encontró ningún obstáculo en su expansión hacia Asia central, iniciada en el siglo XVIII con el fin de «pacificar las estepas», amenazadas por los tártaros. Los principados de Asia central, donde los pueblos musulmanes, mayoritariamente turcófonos, habían creado brillantes civilizaciones bajo la influencia de la cultura persa, no pudieron resistir durante mucho tiempo. El emirato (kanato) de

Bujará en 1868 y el de Khiva, cinco años más tarde, se vieron obligados a aceptar el protectorado zarista sobre esta inmensa región que, a partir de entonces, se denominó el Turkestán ruso. Tras once siglos de civilización musulmana, Asia central, encrucijada de las culturas de Oriente, pasó a estar bajo el dominio de la Rusia ortodoxa, que la inició tímidamente en la vía de la modernidad, decidiendo el destino de sus habitantes, brutalmente involucrados en la aventura soviética, que intentó apartarlos del islam. Pero los objetivos anhelados por Rusia y situados más al sur se vieron obstaculizados por los británicos, quienes evitaron por todos los medios que los rusos avanzaran hacia el subcontinente indio. Para ello se sirvieron de Afganistán, ya que impedía el acceso a los «mares cálidos», una ambición que también fue contrariada en Oriente medio, puesto que los rusos no pudieron extender su influencia más allá de la Transcaucasia. Estos retos y las líneas de confrontación que trazaron los imperialismos que competían entre sí sobrevivieron al Imperio ruso, cuyo relevo fue tomado por la Unión Soviética durante la década de 1920, quien heredó, así, pueblos musulmanes tanto en el Cáucaso como en Asia central.

> **El imán Chamil (1834-1871)**
>
> Perteneciente a la etnia avar, uno de los múltiples pueblos caucasianos, el imán Chamil fue considerado una gran figura de la resistencia de los pueblos musulmanes de la región contra el poder ruso, y aún en la actualidad sigue siendo exaltado como tal por los chechenos y los daguestaneses. Jeque local de la cofradía sufí de los naqšbandíes, creada en Asia central en el siglo XIV, es menos conocido por el régimen teocrático basado en el establecimiento de la šarīʿa que por su epopeya guerrera contra los rusos, a los que hostigó a partir de 1834, hasta que los bosques que le protegían fueron devastados por los soldados del zar, hecho que les permitió capturarlo en 1859.

Rivalidades coloniales en África

A finales del siglo XIX, el África subsahariana se convirtió, a su vez, en el objetivo por el que compitieron las potencias coloniales, que se comportaron en su seno como si se tratara de un territorio conquistado, un erial, sin ningún vestigio de civilización. También fue considerada como una tierra de misión, y, en este sentido, el cristianismo se extendió considerablemente durante el siglo XVI desde las primeras incursiones europeas (portuguesas) en el continente negro, donde el islam, por su parte, estaba ya implantado desde hacía más tiempo, cohabitando de un modo sincrético con las culturas animistas locales.

Movidos únicamente por sus intereses económicos e indiferentes a las exigencias de las poblaciones indígenas, los estados europeos se repartieron el continente africano en la conferencia de Berlín sobre el África occidental (1884). A principios del siglo XX, África occidental se encontraba repartida entre los franceses, que disponían de la extensión territorial más importante, y los británicos, que reinaban sobre un número más elevado de indígenas, mientras que el África oriental pasó a estar básicamente bajo dominio británico y, en menor medida, alemán, mientras que los italianos se apropiaban de Somalia y Eritrea. Esta colonización coincidió con un ascenso del islam, debido al proselitismo o al crecimiento demográfico, lo que tendió a radicalizar los términos de la confrontación entre las potencias coloniales, en ocasiones en detrimento del equilibrio que existía entre las diferentes religiones y culturas en las sociedades africanas.

Las dos guerras mundiales, junto con la colonización, tuvieron graves consecuencias para el conjunto del mundo musulmán. En la década de 1920, Mustafá Kemal intentó convertir a Turquía en un estado moderno y laico. A partir de la década de 1950, las nuevas naciones musulmanas que accedieron definitivamente a la independencia buscaron modelos de afirmación nacional, en particular bajo la influencia de Nasser: el nacionalismo árabe, la constitución de estados-naciones fuertes, el surgimiento de un Tercer Mundo no alineado, el acercamiento a la URSS o el alineamiento con Estados Unidos. Los fracasos fueron numerosos y contribuyeron a preparar el ascenso del islamismo radical.

Conferencia de Lausana, 1923

La descolonización: una modernidad forzada

La descolonización: una modernidad forzada

En el mundo musulmán, la descolonización se tradujo en la creación, a menudo artificial, de estados-naciones inspirados en los modelos occidentales en los que las opiniones públicas, imbuidas por la nostalgia de una comunidad islámica universal, no se reconocían.

La primera guerra mundial

La primera guerra mundial provocó un enorme impacto en las relaciones internacionales, y marcó también un giro radical y decisivo en la evolución de las sociedades musulmanas. Se confirmó su retroceso político a escala planetaria y dio lugar a movimientos de emancipación que pretendían acabar con el yugo colonial. Dentro de este amplio movimiento que posteriormente daría lugar a la descolonización, cabe destacar dos acontecimientos:

• la derrota en 1918 del Imperio otomano que, después de desmembrarse se alineó con la política alemana y las potencias centrales durante la primera guerra mundial;

• la revolución bolchevique de 1917 que convirtió el Imperio ruso en la Unión de las Republicas Socialistas y Soviésticas (URSS) y que impuso a partir de 1924 el modelo de sociedad comunista a un gran número de pueblos musulmanes.

El coronel Thomas E. Lawrence, conocido como Lawrence de Arabia. Concibió el proyecto de un imperio árabe bajo control británico y alentó la revuelta de los árabes contra los turcos en 1917-1918.

Al mismo tiempo, el conflicto de 1914-1918 modificó profundamente la percepción que los pueblos colonizados tenían de las potencias colonizadoras, puesto que, aunque resultaron victoriosas en el conflicto mundial, las potencias de Europa occidental mostraron sus debilidades ante el mundo. La conjunción de estos factores, a los que hay que añadir el imponente ascenso de Estados Unidos, fue determinante en la evolución del colonialismo hacia un imperialismo moderno. Éste utilizó nuevos instrumentos ideológicos para responder al desafío del internacionalismo comunista, que también tenía una vocación expansionista a escala planetaria. Sin duda, todo ello constituyó el origen de muchos problemas a los que actualmente tienen que enfrentarse las sociedades musulmanas.

Enver Pasa, ministro de la Guerra, propició la participación del Imperio otomano en la primera guerra mundial, apoyando a los alemanes.

El desmembramiento del Imperio otomano

Ratificando una serie de derrotas que redujeron como una piel de zapa los territorios del Imperio otomano en la Europa balcánica, su desmoronamiento, aunque previsible, provocó una gran conmoción en todo el mundo musulmán, llegando incluso hasta el Sureste asiático y África. Sin embargo, afectó en menor medida al mundo iraní chiita, que no reconoció nunca la autoridad espiritual sunní del Imperio otomano. No obstante, los pueblos musulmanes turcófonos del imperio, árabes en su ma-

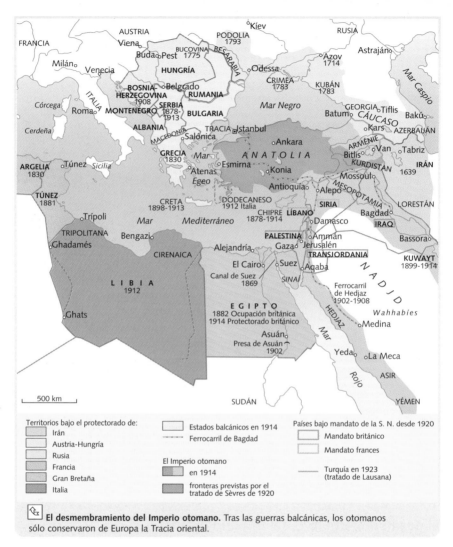

Territorios bajo el protectorado de:
☐ Irán
☐ Austria-Hungría
☐ Rusia
☐ Francia
☐ Gran Bretaña
☐ Italia

☐ Estados balcánicos en 1914
---- Ferrocarril de Bagdad

El Imperio otomano
▨ en 1914
▨ fronteras previstas por el tratado de Sèvres de 1920

Países bajo mandato de la S. N. desde 1920
☐ Mandato británico
☐ Mandato frances

—— Turquía en 1923 (tratado de Lausana)

El desmembramiento del Imperio otomano. Tras las guerras balcánicas, los otomanos sólo conservaron de Europa la Tracia oriental.

yoría, no se sintieron más conmocionados por la pérdida del reinado de los sultanes que los propios cristianos, con los que, en ocasiones, se mostraron solidarios, lo que explica, en parte, por qué las potencias europeas no encontraron demasiadas oposiciones al imponer su dominio. Bajo la influencia de los europeos, para quienes la defensa de las poblaciones era un buen medio de reforzar el control económico en el

Mustapha Kemal «Atatürk» (1881-1938)

Militar de carrera del ejército otomano, Mustafá Kemal se hizo célebre al enfrentarse a las tropas italianas que invadieron la Tripolitania otomana (la futura Libia) en 1911 y, más tarde, a los aliados durante la primera guerra mundial, en el Cáucaso y Palestina (en los años 1915-1917). Originario de Salónica, en Grecia, encarnó a la generación de turcos decepcionados por el imperio y deseosos de reforzar el territorio nacional turco en Asia menor. Después de la caída del Imperio otomano, se retiró a Anatolia, donde se dedicó a la edificación de un estado nacional turco en detrimento de las minorías, como los griegos, expulsados de Esmirna, los armenios que aún permanecían en el país, y los kurdos musulmanes. En 1923 se convirtió en presidente de la República turca, cargo que ostentó hasta su muerte en 1938. Al considerar «retrógrada» la tradición islámica, se dedicó a laicizar y modernizar el país con firmeza, con lo que el islam perdió su estatuto de religión de estado. Las empresas extranjeras fueron nacionalizadas y la economía fue controlada por el Estado, que procedió a una modernización a marchas forzadas de las costumbres, desde la abolición de la poligamia hasta la prohibición de llevar fez los hombres, y velo, las mujeres. Además, éstas obtuvieron el derecho de voto y pudieron ostentar cargos políticos a partir de 1934. Mustafá Kermal sigue siendo para sus conciudadanos el «padre de los turcos» (Atatürk), un icono sagrado que garantiza la laicidad del país, de la que el ejército se considera heredero. Erigiéndose como líder de una nación turca humillada y unida a partir de ese momento bajo el estandarte de una guerra de independencia contra los «colonialistas», Mustafá Kermal, por otra parte, estaba más interesado en consolidar militarmente las bases de la nueva república frente a las potencias occidentales (franceses, británicos y también griegos), quienes, en 1923, con ocasión del tratado de Lausana, revisaron los términos del tratado de Sèvres de 1920, con lo que se selló la capitulación del Imperio otomano. Aunque garantizaba la alianza de Mustafá Kemal en un contexto regional del que la nueva Turquía tendía a desmarcarse para acercarse a Occidente, el tratado de Lausana no cuestionaba en absoluto los intereses de los europeos respecto a las antiguas provincias árabes del Imperio otomano, en las que se había utilizado el señuelo de la independencia mientras se preparaba para controlarlas, apoyándose en los acuerdos secretos que, por otra parte, se vinieron abajo debido a las rivalidades que existían entre ellos. El acuerdo Sykes-Picot (por el nombre de los firmantes británico y francés) de 1918 prometía sobre el papel la creación de un reino árabe. Pero lord Balfour, el jefe del Foreign Office, había prometido por su parte, en 1917, la creación de un estado árabe junto a un «territorio nacional» judío en Palestina.

Imperio otomano, los sultanes habían llevado a cabo reformas para modernizar las instituciones imperiales, que dieron sus frutos en Egipto con Mehmet Alí, y en Túnez, donde en 1861 el visir Jay al-Dīn promulgó el primer código de gobierno moderno. Pero el absolutismo del sultán Abdülhamid acabó con estas reformas a finales del siglo XIX. En 1908, fracasó el intento de revolución de los jóvenes turcos para reformar lo que quedaba del imperio. En el Oriente medio árabe, sobre los escombros del Imperio otomano, las potencias occidentales se dedicaban a trazar las fronteras de los nuevos estados artificiales, dividiendo en zonas de influencia una región en la que latía el corazón del islam. Mientras tanto, un oficial turco, Mustafá Kemal, puso el na-

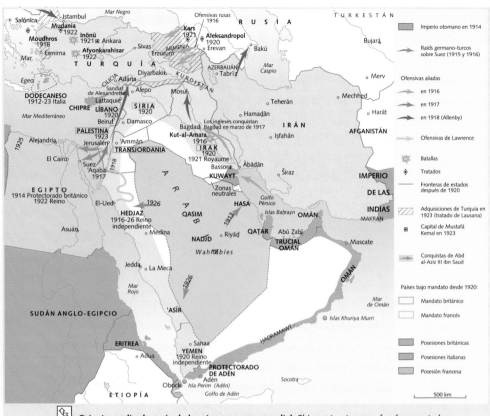

Oriente medio después de la primera guerra mundial. El Imperio otomano fue fragmentado y ocupado por los aliados, que impusieron el tratado de Sèvres, revisado en 1923 por el tratado de Lausana.

Leyenda del mapa:

- Imperio otomano en 1914
- Raids germano-turcos sobre Suez (1915 y 1916)
- Ofensivas aliadas
  - en 1916
  - en 1917
  - en 1918 (Allenby)
- Ofensivas de Lawrence
- Batallas
- Tratados
- Fronteras de estados después de 1920
- Adquisiciones de Turquía en 1923 (tratado de Lausana)
- Capital de Mustafá Kemal en 1923
- Conquistas de Abd al-Aziz III ibn Saud
- Países bajo mandato desde 1920:
  - Mandato británico
  - Mandato francés
- Posesiones británicas
- Posesiones italianas
- Posesión francesa

Etiquetas del mapa: Salónica, Istambul, Mar Negro, Mudania 1922, Moudhros 1918, Inönü 1921 Ankara, Esmirna, Afyonkarahisar 1922, Mar, TURQUÍA, Egeo, Sivas, Erzurum, Diyarbakir, Ofensivas rusas 1916, Kars 1921, Aleksandropol 1920, Erevan, Baku, RUSIA, TURKESTÁN, Bujará, Merv, Mechhed, Harât, Teherán, Hamadân, IRÁN, Isfahân, Siraz, AFGANISTÁN, DODECANESO 1912-23 Italia, Mar Mediterráneo, CHIPRE, Adana, CILICIA, Sandjac de Alexandrette, Lattaquié, LÍBANO 1920, Beirut, Alepo, Mosul, SIRIA 1920, Damasco, Bagdad Bagdad en marzo de 1917, Los ingleses conquistan, Kut-al-Amara 1916, IRAK 1920, 1921 Royaume, Bassora, Âbâdân, AZERBAIJÁN, Tabriz, Mar Caspio, ARMENIA, KURDISTÁN, PALESTINA 1923, Alejandría, Jerusalén, 'Ammân, TRANSJORDANIA, El Cairo, Suez, 'Aqaba 1917, KUWAYT, Zonas neutrales, Golfo Pérsico, Islas Bahrayn, OMÁN, EGIPTO 1914 Protectorado británico 1922 Reino, El-Ued, HASA, QASIM, QATAR, Abû Zabî, TRUCIAL OMÁN, Mascate, IMPERIO DE LAS INDIAS, MAKRÁN, HEDJAZ 1916-26 Reino independiente, Médina, NADJD, Riyâd, Wahhabies, Asuân, Jedda, La Meca, 'ASÍR, Mar Rojo, SUDÁN ANGLO-EGIPCIO, Mar de Omán, Islas Khuriya Murri, ERITREA, Adua, Sanaa, YEMEN 1920 Reino independiente, PROTECTORADO DE ADÉN, Obock, Isla Perim (Adén), Adén, Socotra, Golfo de Adén, ETIOPÍA, HADRAMAWT, 500 km

cionalismo al servicio de la nueva República turca; una república de la que intentó extirpar su identidad religiosa islámica, demasiado asimilada a los errores que causaron el declive del imperio y que se consideraba como una de las principales causas del retraso acumulado por los turcos respecto a Europa. Tras la pérdida del imperio y de sus provincias árabes, la República turca que Kemal creó en 1923 se centró de nuevo en Asia menor, considerada por los nuevos ideólogos del nacionalismo turco (panturanismo, panturquismo) como el centro de un espacio nacional turco que llegaba hasta los confines chinos de Asia central, pasando por Azerbaiján, hasta llegar al Cáucaso. Pero esta teoría no pudo llevarse a la práctica por la presencia rusa y, más tarde, soviética en estas regiones.

Del colonialismo a los imperialismos: el mundo musulmán dividido

Mientras Turquía ofrecía el único ejemplo de un estado-nación musulmán independiente, que había escogido una occidentalización radical tanto de sus costumbres como de su vida política, el Oriente medio árabe sufrió la creciente influencia política de Francia y Gran Bretaña. Estas dos potencias, basándose en la legitimidad internacional que les confería la Sociedad de naciones (S.D.N.), creada en 1920 por los firmantes del tratado de Versalles, se apropiaron de los «mandatos» que delimitaban sus zonas de influencia: Siria y el Líbano en el caso de Francia, y los demás países del Creciente fértil y el conjunto de la península Arábiga en cuanto a los británicos. La llegada de Stalin al poder en Moscú, a finales de la década de 1920, puso fin oficialmente a los proyectos de revolución mundial permanente de Trotski, que fue sustituida por la consolidación de los avances conseguidos por la revolución en la única patria del comunismo. Sin embargo, la URSS no renunció a liderar el Tercer Mundo para acabar con la hidra imperialista. Sus ambiciones se pusieron de manifiesto en la conferencia de Bakú en 1921, en la que participaron con entusiasmo los pueblos colonizados de Asia y África de todos los credos. El hecho de escoger la capital de Azerbaiján, país recientemente incorporado al incipiente imperio de los soviets, para celebrar esta conferencia, no fue casual. Efectivamente, Bakú era, en la época, el primer centro productor de petróleo del mundo, codiciado por los británicos. Con ocasión de esta reunión en la república musulmana turcófona al sur del Cáucaso, tradicionalmente solidaria con Turquía, Lenin abrigaba incluso la esperanza de que Mustafá Kemal se uniera a esta cruzada anticapitalista, para lo cual intentó atraerle con el señuelo de algunas concesiones. Pero la inclinación prooccidental del líder turco defraudó muy pronto las expectativas de los soviéticos. La negativa de Ankara ante las promesas de los soviéticos condujo a estos últimos a centrarse con insistencia en otra potencia regional, Irán, fronteriza con los países del Cáucaso y de Asia central y que posibilitaba el acceso a los «mares cálidos», lo que era un *leitmotiv* de la estrategia rusa y, más tarde, soviética. La singularidad del Irán chiita en el mundo musulmán, su tradicional rivalidad con los turcos y su apertura a la modernidad, esbozada desde el siglo XIX por el sha (rey) de Persia Nasir al-Din Sha, lo convertía en un objetivo de la estrategia expansionista soviética en los países musulmanes.

Islam y comunismo

Algunos ulemas que formaban parte del grupo de la Nueva mezquita intentaron cooperar con los comunistas, preconizando reformas, con el fin de adaptar la revolución a la realidad de la sociedad musulmana. Tras una utilización meramente táctica del hecho islámico, el nuevo poder soviético cambió de estrategia en la década de 1920 y prohibió las instituciones musulmanas, como, por otra parte, las de todas las demás religiones. Como reacción, algunos musulmanes comunistas como el intelectual tártaro Mir Sultan Galiev (fallecido hacia 1928), que preconizaba una versión nacional-islámica del comunismo, hicieron un llamamiento a la rebelión contra los rusos, quienes consideraban a los musulmanes como «nacionalistas locales» reaccionarios que debían desaparecer. Una sangrienta campaña antimusulmana obligó inmediatamente a los pocos militantes islámicos que quedaban en el mundo soviético a pasar a la clandestinidad.

El antiguo Imperio persa había optado por el modelo del estado-nación laico, exaltando el pasado preislámico de la Persia de Darío y Ciro más que sus tradiciones islámicas. Sin embargo, su nuevo dirigente, Reza Sha, un coronel de la brigada cosaca iraní, que tomó el poder en 1921, antes de

Nasir al-Din Sha (1848-1896)

Este soberano modernista de Irán intentó instaurar un gobierno central fuerte en detrimento de los mullahs (los religiosos chiitas), los jefes de tribus y los comerciantes, mediante reformas burocráticas y militares que seguían el modelo de los reformistas musulmanes del Imperio otomano y, sobre todo, de los egipcios. Pero estos aires de reformas incitaron a diferentes grupos políticos a apoyarse en una Constitución de contenido democrático, que disgustó a los mullahs y al propio sha. Acusado de querer vender el país a bajo precio a los rusos y a los británicos, cada vez más influyentes, el sha fue asesinado en 1896 por un derviche fanático.

consagrarse como el primer sha de la autoproclamada dinastía de los Pahlawi, no se puso del lado de los aliados, tal como anteriormente había hecho Atatürk, al que admiraba. No obstante, el autoritarismo de este régimen monárquico que mantenía graves desigualdades en el país, cuyas élites políticas se enriquecieron con el dinero de un petróleo abundante que abrió el país a la creciente influencia de los occidentales, preparó el camino para la propaganda soviética. El alineamiento de Irán con la Alemania nazi durante la segunda guerra mundial hizo tambalear al monarca que, en 1941, abdicó en favor de su joven hijo, Muhammad Reza. Este último, que reinó en un estado muy centralizado e igualmente autoritario, tampoco se mostró más proclive a los soviéticos, pero la enfeudación que llevaron a cabo las potencias occidentales dividiendo el país a su antojo en función de los intereses de sus compañías petroleras, exacerbó los sentimientos nacionalistas que Moscú intentó explotar, aunque sin demasiado éxito.

Muhammad Reza Pahlawi, sha de Irán, en 1974. Cinco años más tarde, tuvo que abandonar el país debido a la presión de la oposición.

Corriendo el riesgo de una división de Irán, la república comunista de Mahabad, creada a finales de la década de 1940 bajo el impulso de la URSS en las regiones kurdas del noroeste de Irán, en los confines del Azerbaiján soviético, donde habían surgido corrientes redentoristas respecto al Azerbaiján iraní, sólo se mantuvo algunos meses. En cuanto a la experiencia del efímero primer ministro Mossadegh, que se ganó el favor de los soviéticos nacionalizando el petróleo iraní en 1951, no pudo resistir las presiones de los occidentales, sobre todo de los norteamericanos, con quien el sha de Irán estrechó aún más sus relaciones. El sha Muhammad Reza

Combatientes afganos cerca de la frontera pakistaní, 1984. Las tropas soviéticas se han enfrentado a la resistencia de los mujahiddines desde 1979.

Pahlawi pagó su alineamiento con Occidente con su derrocamiento en 1979 y la instauración de una república islámica dirigida por el ayatollah Jomeini. Así, a excepción del sur de Yemen o algunos países de África, la concepción materialista del mundo profesada por la URSS no arraigó, en general, en las sociedades musulmanas.

Sin embargo, este nuevo reto exigía otras respuestas a las potencias coloniales si querían impedir que los pueblos colonizados se situaran en la órbita comunista. Estados Unidos, una potencia en ascenso tanto desde el punto de vista económico como militar, después de la primera guerra mundial, parecía estar mejor preparado para enfrentarse a este reto que los imperios coloniales europeos, que seguían anclados en sus concepciones territoriales, marcadas todavía por el colonialismo del siglo XIX, que no se adaptaba a las nuevas realidades mundiales.

El antimodelo del Asia central soviética

Stalin dividió Asia central en repúblicas cuyas etnias, mayoritariamente turcófonas, se vieron imbricadas entre ellas —lo que mantuvo intactos los conflictos territoriales— con el objetivo de contrarrestar los intentos panislámicos o panturcos. Exaltando las culturas nacionales en detrimento de las tradiciones religiosas, el poder central dio prioridad al desarrollo económico, colectivizando el campo e imponiendo monocultivos, como el algodón en Uzbekistán, mientras la industrialización seguía siendo limitada. La desestalinización se tradujo, sin embargo, en una cierta tolerancia respecto a los representantes del islam oficial a cambio de que respetaran el régimen y en una rehabilitación de las órdenes sufíes que mantenían con ellos una discreta competencia. En la década de 1970, la URSS, que, sin embargo, había contribuido a la creación de Israel, se alineó resueltamente al lado de los palestinos y estrechó sus relaciones con el mundo musulmán, lo que no tuvo ninguna consecuencia real en las sociedades musulmanas de Asia central. Éstas tuvieron que esperar a la glásnost y la perestroika de Gorbachov, en 1985, para poder practicar con mayor libertad su religión, así como para dar rienda suelta a los viejos demonios nacionalistas que provocaron violentos enfrentamientos entre musulmanes kirguizes y uzbecos, por ejemplo. Por otro lado, la invasión de Afganistán por parte de las tropas soviéticas desacreditó totalmente el modelo soviético.

Sir John Bagot, llamado Iubb Pacha (1897-1986). General británico que dirigió la legión árabe de 1939 a 1956.

La segunda guerra mundial y la descolonización

La segunda guerra mundial, al consagrar a Estados Unidos como una superpotencia económica, política y militar, que asumió el liderazgo occidental frente a la otra superpotencia, la URSS, flanqueada por países satélites o alineados en un mundo bipolar, confirmó la evolución hacia una división imperialista del mundo, basada en un dominio económico más que territorial. Devastada y con el descrédito de unos valores que pretendía extender al resto del mundo, Europa occidental era incapaz, por otra parte, de mantener su imperio colonial y tuvo que adaptarse a las nuevas reglas de un juego mundial que ya no controlaba.

Toda la historia de la segunda mitad del siglo XX estuvo dominada por esta tensión entre los dos imperialismos, mientras los estados que habían sido colonizados, entre ellos los musulmanes, buscaban una vía intermedia, la no alineación, cuyos límites se pusieron muy pronto de manifiesto. La conferencia de Bandung (Indonesia) celebrada en abril de 1955, en la que participaron los representantes de 29 países asiáticos y africanos emancipados, en su mayoría, después de 1945, condenó el racismo y el colonialismo y tomó partido por los estados árabes contra Israel. Se trató de un primer intento, sin futuro, de federar a los países del Tercer Mundo en una fuerza política independiente. Los nuevos estados musulmanes disponían de un margen de maniobra muy restringido al estar sometidos a las presiones de las potencias occidentales que, alineadas tras Estados Unidos, no dudaban en apoyarse en las élites más conservadoras y rigoristas en la concepción del islam para contrarrestar a los soviéticos. La URSS, por su parte, pretendía utilizar el nacionalismo y el rencor por las antiguas potencias coloniales. Después de la afirmación de las «vías nacionales», el no alineamiento produjo, de hecho, unos regímenes a menudo híbridos, que no fueron capaces de hacer una distinción clara entre la política y la religión ni de proponer una alternativa a las potencias dominantes.

El mundo árabe en busca de una unidad imposible

Así, por ejemplo, Egipto, casi independiente en 1936, recobró la plena soberanía en 1952, antes de que la abortada ofensiva anglo-franco-israelí (para evitar la nacionalización del canal de Suez) obligara en 1956 al presidente egipcio a buscar el apoyo de la URSS En el mismo año, el rey Hussein de Jordania cesó a Glubb Pacha, el todopoderoso comandante británico de su ejército. Dos años más tarde, un golpe de estado del ejército iraquí (bajo tutela inglesa) asestó el sangriento golpe final al reinado de los soberanos hachemitas en Bagdad. Siria y el Líbano (que, en aquella época, sólo contaba con el 40 % de musulmanes) se habían emancipado del mandato francés en 1946. La transición hacia la independencia de Palestina fue más compleja a causa de la masiva inmigración de los judíos que huían del nazismo, lo que proporcionó una base demográfica más sólida al proyecto sionista del «retorno a la tierra prometida» en el «hogar judío» de Palestina. Como en 1939 los colonos sionistas representaban ya la tercera parte de la población árabe, los palestinos presionaron a los británicos para que se establecieran unos cupos para los emigrantes procedentes de Europa, pero ese flujo, desde un punto de vista ético, no se pudo canalizar

⤾ **El canal de Suez en una caricatura soviética.** Bajo la presión de Moscú, Washington y la O.N.U., el Reino Unido y Francia tuvieron que abandonar sus pretensiones de controlar la zona del canal.

cuando se conoció la amplitud del genocidio que habían sufrido durante la guerra mundial. Al evacuar Palestina en 1948, los británicos confiaron a Naciones unidas la cuestión candente de la división de Palestina entre árabes y judíos. Sin embargo, ese mismo año tuvo lugar una guerra cuyo resultado, favorable a los judíos, les permitió sentar las bases del futuro Estado israelí. Este último heredó el difícil problema palestino, agravado por el éxodo de cente-

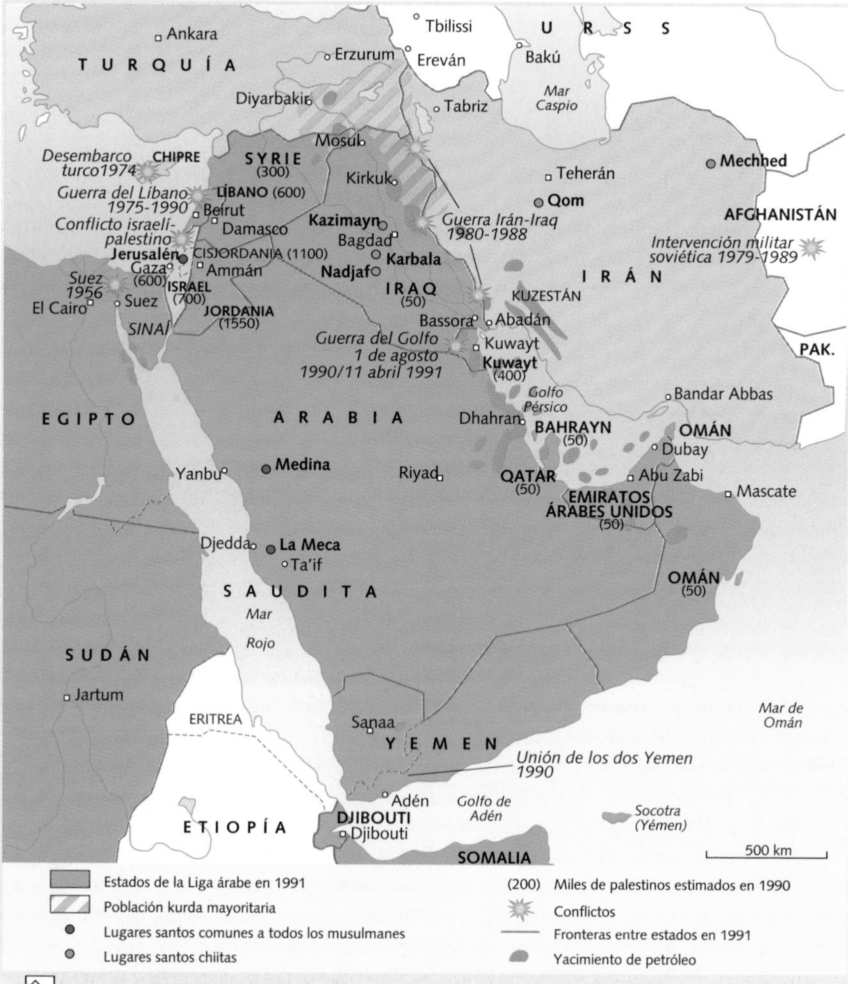
Ankara
TURQUÍA
Tbilissi
Ereván
Erzurum
Diyarbakir
U R S S
Bakú
Mar Caspio
Tabriz
Mosul
Desembarco turco 1974
CHIPRE
SYRIE (300)
Kirkuk
Teherán
Mechhed
Qom
Guerra del Líbano 1975-1990
LÍBANO (600)
Beirut
Damasco
Conflicto israelí-palestino
Kazimayn
Bagdad
Guerra Irán-Iraq 1980-1988
AFGHANISTÁN
Intervención militar soviética 1979-1989
Jerusalén
CISJORDANIA (1100)
Gaza (600)
Ammán
Nadjaf
Karbala
IRÁN
Suez 1956
El Cairo
Suez
ISRAEL (700)
JORDANIA (1550)
IRAQ (50)
KUZESTÁN
SINAÍ
Bassora
Abadán
Guerra del Golfo 1 de agosto 1990/11 abril 1991
Kuwayt
Kuwayt (400)
PAK.
Golfo Pérsico
Bandar Abbas
EGIPTO
ARABIA
Dhahran
BAHRAYN (50)
OMÁN
Dubay
Yanbu
Medina
Riyad
QATAR (50)
Abu Zabi
Mascate
EMIRATOS ÁRABES UNIDOS (50)
Djedda
La Meca
Ta'if
SAUDITA
OMÁN (50)
Mar Rojo
SUDÁN
Jartum
ERITREA
Sanaa
YEMEN
Unión de los dos Yemen 1990
Mar de Omán
Adén
Golfo de Adén
Socotra (Yémen)
ETIOPÍA
DJIBOUTI
Djibouti
SOMALIA
500 km
Estados de la Liga árabe en 1991
Población kurda mayoritaria
Lugares santos comunes a todos los musulmanes
Lugares santos chiitas
(200) Miles de palestinos estimados en 1990
Conflictos
Fronteras entre estados en 1991
Yacimiento de petróleo

Los conflictos en Oriente Medio. De la crisis de Suez a la guerra del Golfo, la región ocupa una posición emblemática en el mapa de los puntos calientes del planeta.

nares de miles de refugiados palestinos en los estados árabes limítrofes, una manzana de la discordia permanente entre Israel, cada vez más abiertamente apoyado por Occidente, y sus vecinos árabes.

En este clima de confrontación con Israel, percibido como un desafío permanente de los antiguos colonizadores occidentales en los lugares santos del islam, en las décadas de 1950 y 1960 se produjo el apogeo del nacionalismo árabe, acompañado por el panarabismo, el nasserismo o el socialismo árabe, todos ellos vanos intentos por conseguir una síntesis entre una hipotética «nación árabe» y la tradición islámica.

De 1958 a 1961, Egipto y Siria, y más tarde Yemen, se aglutinaron en la República árabe unida (R.A.U.), pero esta alianza, que tenía la pretensión de ampliarse, no resistió la pretensión hegemónica del Egipto nasserista. La Federación árabe que crearon, por su parte, las monarquías hachemitas (Jordania e Iraq) desapareció tras el golpe de estado del general Kassem en Bagdad, cuyo nuevo régimen pretendía inspirarse en el nasserismo, al igual que el que se había implantado en Siria, controlado por una rama local del partido Baaz («partido de la Resurrección», que existía tanto en 'Ammān como en Bagdad, de inspiración nacionalista, laica y socializante), lo que tampoco propició una unión con Egipto. Unidos teóricamente por el dogma nacionalista del panarabismo, estos países no consiguieron nunca superar sus rivalidades, al tiempo que atraían la hostilidad de los regímenes árabes conservadores y/o prooccidentales, detentores de la autoridad espiritual como guardianes de los santos lugares del islam.

La península Arábiga

En la península Arábiga, la primera guerra mundial permitió que, a partir de 1926, la familia beduina de los Saud reinara en las antiguas provincias otomanas a cambio de una alianza con la secta wahhabí (del nombre de su líder, Muhamad Ibn Abd al-Wahhab, fallecido en 1792), con lo que se impuso el rigorismo musulmán en la monarquía saudí. El reino se extendió más tarde bajo el impulso de los ikhwans («hermanos») ultraintegristas, que ayudaron a Abd al-Aziz Ibn Saud (fallecido en 1953) a proclamarse rey de Hedjaz antes de rebelarse y ser neutralizados en 1929. La conquista de Nadjd en 1932 trazó las actuales fronteras del reino saudí, que integró la šarī'a (ley islámica) a una política de modernización limitada, alentada o incluso impuesta por los abundantes recursos energéticos, que suscitaron inmediatamente la codicia de los occidentales. Las regiones costeras del este y el sur de Arabia pasaron de ser un protectorado británico impuesto a principios del siglo XX a establecer unos regímenes conservadores y

Saud Ibn Abd al-Aziz, rey de Arabia de 1953 a 1964. A partir de 1958, sin embargo, fue su hermano Faysal quien ejerció el poder, erigiéndose como protector de los regímenes conservadores árabes.

La descolonización: una modernidad forzada

patriarcales siguiendo el modelo saudí, con cierto tinte occidental. El emirato de Kuwayt obtuvo la independencia en 1961, pero hasta 1971 los británicos no evacuaron totalmente la región del Golfo, donde surgieron los Emiratos Árabes Unidos, los emiratos de Qaṭar y Baḥrayn, así como el sultanato de Omán en 1970, cuyo sultán, Qabus, consiguió detener un intento de secesión de Zufār, apoyado por los nasseristas y por el vecino Yemen del Sur. El exprotectorado de Adén, evacuado por los británicos en 1967, fue la única excepción que confirmó la regla en la península Arábiga, al deponer al sultán local para crear la República Popular de Yemen del Sur, de tendencia prosoviética. Yemen del Norte (prooccidental) como y Yemen del Sur estuvieron enfrentados durante años antes de unirse en 1990.

En el Magreb, liberado del yugo colonial, la experiencia de la laicidad, encarnada, en esta ocasión sin pasar por una dictadura, por Túnez de la mano de Habib Burguiba, hizo caso omiso a los llamamientos a la unidad árabe. Conscientes de su singularidad, los países del Magreb, por otra parte, tampoco optaron por la vía de una unidad regional, puesto que la descolonización les había orientado hacia posiciones políticas diferentes. Francia tuvo que aceptar el restablecimiento de la monarquía en Marruecos en 1954, donde el sultán Mohamed V, recibido triunfalmente después de un año de exilio, reinó a partir de 1956, fecha de la independencia del país.

En el mismo año, Túnez accedió también a la independencia con Burguiba como presidente, que prosiguió el programa laico del partido Neo-Destour («Nueva Constitución») creado en 1934. Para los argelinos musulmanes, el proceso de descolonización fue mu-

El presidente Habib Burguiba. Fundador del Neo-Destour modernista y laico, fue el principal artífice de la independencia de Túnez.

cho más doloroso debido a la importancia numérica y económica de los colonos franceses, y sólo después de una larga guerra, en 1962 la Francia de De Gaulle se resignó a concederles la independencia. Poco interesada por el islam o el arabismo, la

Los musulmanes no alineados de los Balcanes

Como resultado de cinco siglos de dominio otomano, en las comunidades musulmanas de los Balcanes, unos pueblos indígenas islamizados o descendientes de los colonos turcos otomanos, se produjo una evolución distinta a la del resto del mundo musulmán. Minoritarios en todas partes, excepto en Albania, los musulmanes de los Balcanes compartieron, en general, las formas de vida de sus conciudadanos cristianos y abrazaron la causa del nacionalismo más que la del islam, antes de participar en la aventura titista, comunista y autogestionaria en la Yugoslavia multiétnica y multiconfesional surgida de la resistencia frente al nazismo durante la segunda guerra mundial. Una ósmosis ilustrada por la promoción de los musulmanes, mayoritarios en Bosnia-Herzegovina, elevada al rango de «nación» en 1961, al mismo título que los serbios ortodoxos o los croatas católicos, con los que compartían una misma identidad eslava. Con esta medida sin precedentes, contradictoria e incluso hereje para el islam, Josip Broz Tito pretendió integrar totalmente a los musulmanes en la Yugoslavia federal con el fin de evitar que constituyeran una comunidad aparte. Esta etiqueta nacional que, en un primer momento, fue bien acogida por los musulmanes yugoslavos, quienes, por otra parte, estaban a favor de la no alineación en la escena internacional por la que Belgrado optó resueltamente, alentó de forma progresiva sus intentos de redefinir su identidad política en la entidad bosnia, así como en el estado federal. En el doloroso proceso de desmembramiento de Yugoslavia a principios de la década de 1990, las ambigüedades del propio concepto de nación musulmana contribuyeron a atizar las brasas de la guerra civil entre los tres componentes de Bosnia-Herzegovina, erigida en 1992 como estado independiente, cuya supervivencia se debe a la comunidad internacional.

Argelia socialista de Ben Bella y, más tarde, de Bumedián, dio prioridad a una rápida industrialización, que siguió los modelos occidental y soviético a un mismo tiempo y que consiguió modernizar el país con gran rapidez.

Una herencia colonial explosiva

En un contexto internacional de guerra fría, el proceso de descolonización estuvo, pues, marcado por conflictos sangrientos en numerosas ocasiones, que imprimieron su impronta en el destino de los nuevos estados independientes, donde, en general, las élites locales surgieron de las guerras de liberación nacional, como el F.L.N. en Argelia y como sigue ocurriendo en la actualidad. Al abandonar sus antiguas posesiones, las autoridades coloniales dejaron tras ellas un modelo político de estado cuya eficacia reconocieron los países que habían sido colonizados, pero también una situación a menudo explosiva. Éste es el caso del sub-

Argelia, mayo de 1956. Dos soldados franceses encargados de requisar, cachean a un sospechoso.

continente indio, donde la independencia se acompañó, en 1947, de una sangrienta partición entre la India, mayoritariamente hindú, y Pakistán, casi exclusivamente musulmán, unos países que todavía en la actualidad siguen manteniendo unas relaciones conflictivas. Tan sólo es un ejemplo típico y extremo de la devastación causada en el tejido social por una colonización que siguió la consigna de dividir para reinar mejor y que ha mantenido en suspenso los problemas entre comunidades, exacerbándolas, a menudo, bajo la falsa apariencia de una unidad política.

Muhammad Iqbal (1876-1938)

Poeta y jurista indio, aunque profundamente influido por el humanismo europeo laico, militó en favor de la creación de un estado musulmán separado de la India, un credo que Alí Jinnah, un brillante abogado musulmán de Bombay, inició en 1947. Los libros escritos en inglés de Iqbal sobre la modernización del islam, donde intenta conciliar el pensamiento coránico con las ideas de los filósofos francés y alemán Henri Bergson y Nietzsche, ejercieron una profunda influencia en la *intelligentsia* musulmana.

El Sureste asiático: la dolorosa gestión de los problemas intercomunitarios

También en el Sureste asiático, los nuevos estados independientes se vieron obligados a enfrentarse a problemas intercomunitarios y a defender su integridad territorial y su unidad dentro de unas fronteras heredadas de los colonizadores. La nación, exaltada hasta la saciedad por los nuevos líderes que desconfiaban de los reformistas musulmanes, tanto en el caso de Malaysia como, sobre todo, en el de Indonesia, constituía una base muy frágil. Consideradas como la «quinta columna» de los antiguos colonizadores, las minorías étnicas y no musulmanas, como los chinos o los indios (implantadas por los británicos en el siglo XIX) fueron las perdedoras en esta concepción etnicista de la política.

Los movimientos laicos como la United Malay National organization (U.M.N.O.) o una personalidad como el primer presidente de Indonesia, Ahmed Sukarno (fallecido en 1970), que se autoproclamaba al mismo tiempo nacionalista, m usulmán y marxista convencido y aureolado por el prestigio que le daba la victoria obtenida en la guerra de independencia contra los holandeses (1945-1949), consiguieron mantener una cierta unidad. Pero estos regímenes, que pretendían conservar sus privilegios, evolucionaron hacia un autoritarismo que se consideraba como el único instrumento para evitar la división, cierta o ilusoria, que podían provocar las minorías étnicas, los islamistas o los comunistas.

En este sentido, puede citarse a Suharto, sucesor de Sukarno, que en 1966 reprimió de forma sangrienta una insurrección en la que hubo casi un millón de víctimas. En Filipinas, las frustraciones generadas por las torpezas y la brutalidad del poder central de Manila propiciaron las reivindicaciones identitarias de los 7 millones de musulmanes filipinos (el 9 % de la población total) que se decantaron por la opción islamista.

El presidente Sukarno, en una conferencia nacional en septiembre de 1957. Preconizó la formación de un gobierno de cooperación mutua con todos los partidos.

El islamismo, una opción ante los sucesivos fracasos políticos

Al margen de las profesiones de fe unitarias, esporádicamente proclamadas por sus líderes, los países árabes y musulmanes recién creados se inclinaron por sus intereses estatales, heredados de los colonizadores y celosamente mantenidos por las élites en el poder, cualquiera que fuera la naturaleza del régimen. Manifestada repetidamente, la solidaridad entre los países árabes y musulmanes no pudo resistir las rivalidades entre estados durante mucho tiempo, incluso cuando se trataba de causas «sagradas», como la defensa de los palestinos frente a Israel. Tampoco lo hizo ante la disparidad de la riqueza existente entre Arabia Saudí y los países del Golfo, convertidos en potencias financieras gracias al petróleo, y los países musulmanes de África, por ejemplo, inmersos en la miseria. Sometidos a las presiones antagonistas de dos imperialismos igualmente materialistas y después de haberse librado del yugo del colonialismo, los estados musulmanes tuvieron que decantarse por uno u otro bando sin poder escoger su propio camino al margen de algunos intentos de reformas, lo que provocó la incomprensión e incluso la cólera de sus opiniones públicas contra una nueva forma de dominio extranjero. El islamismo, aprovechando este vacío político, pretendió aceptar el reto del imperialismo con mayor determinación.

Más allá de las diferencias, ¿existe una sociedad musulmana con sus valores y sus fobias? Esto es lo que algunas personas quieren hacer creer, tanto en Occidente como en el propio mundo musulmán. Los recientes acontecimientos —cristalizados en los atentados del 11 de septiembre de 2001— parecen confirmar la hipótesis de un «choque de civilizaciones» entre un mundo occidental materialista y un mundo musulmán basado totalmente en la rigurosa observancia de su fe. Los extremistas islamistas pretenden promover así una sociedad organizada de acuerdo con los preceptos del Corán, interpretado en su concepción más rigurosa. Sin embargo, son muchos los que consideran que este proyecto está abocado al fracaso.

Manifestación nacionalista en El Cairo, en 1920

El islam
y la sociedad

El islam y la sociedad

¿Qué significa actualmente ser musulmán, en un mundo que tiende a la globalización y, por tanto, a la uniformidad de las formas de vida y las sociedades?

Planteado a veces en términos de «choque de civilizaciones» (siguiendo el título del libro del norteamericano Samuel Huttington), este interrogante no se refiere necesariamente a una realidad conflictiva, aunque la actualidad más candente ha puesto de manifiesto la amenaza de un islam radical y agresivo.

Desde las décadas de 1980 y 1990, se ha acentuado la utilización política del islam con el objetivo de transformar el estado, sobre todo para imponer la *šarī'a* (el «camino prescrito» [por Alá]) como única fuente del derecho. Esta tendencia que se traduce en un cuestionamiento, a veces violento, del laicismo y en un rechazo radical del modelo del estado-nación importado de Occidente, así como de los elementos culturales y religiosos preislámicos o que cohabitan con el islam, ha provocado en todos los lugares un retorno a los valores religiosos, incluso en los países que se están secularizando y que intentan frenar el empuje de los islamistas.

> **La ŷihād**
>
> Este término, que se traduce por «guerra santa», en árabe significaba originariamente «esfuerzo» («contra las pasiones»), y posee la misma raíz que «mujahiddín» («combatiente»), pero no figura entre los cinco pilares del islam. La «guerra santa» se convirtió progresivamente en el motor de la expansión del islam, así como en el pretexto en el caso de las guerras de conquista para convertir y esclavizar a los que se negaban a islamizarse (en la India, África, etc.). La ŷihād, un concepto ambiguo que se presta a controversias, se justifica oficialmente cuando se trata de defender al islam contra un grave peligro exterior y para propagar esta religión entre los «no creyentes». Si los mujahiddines mueren durante la ŷihād, tienen la garantía de alcanzar el paraíso.

El islamismo contra el nacionalismo y el estado laico

El islamismo, un fenómeno que ha transformado radicalmente las formas de vida y el comportamiento político en las sociedades musulmanas modernas, surgió, en primer lugar, en el mundo árabe, en la década de 1930, antes de extenderse al conjunto del mundo musulmán en la década de los setenta. El punto de partida del islamismo vino marcado por la revolución iraní, con la proclamación de la república islámica de Irán en 1980, hecho que conmocionó los cimientos del mundo musulmán, es decir, los «cinco pilares» del islam.

El islamismo como ideología que sitúa la religión al servicio de la política surgió con el movimiento de los «Hermanos musulmanes» (al-Ijwān al-Muslimūn), creado en 1928 en Egipto por Ḥassan el-Bannā' (fallecido en 1949). Éste no era un ulema (teólogo), sino un maestro pobre que se instaló en El Cairo como tantos otros egipcios que, obligados a abandonar las regiones rurales a causa de la miseria, vivieron hacinados en los barrios pobres de la periferia de la capital. Este detalle de su biografía es importante, ya que subraya la dimensión social y política de un movimiento con un objetivo revolucionario, cuyas élites no se cooptaron entre los teólogos, detentores del derecho y garantes del orden moral en las sociedades musulmanas tradicionalistas o fundamentalistas, sino entre la juventud estudiante. Sin embargo, a menudo se trataba de una juventud poco familiarizada con el entorno urbano, pero iniciada en las universidades en algunos aspectos de la modernidad a través de los estudios, sobre todo los del ámbito científico. Los Hermanos musulmanes, que estaban en desacuerdo con aquellas personas que predicaban un islam «ortodoxo» acerca de la modernización de la sociedad, e incluso en abierta oposición con los propios ulemas, celosos guardianes de la tradición que desconfiaban de todo lo que procedía de Occidente, preconizaban una «renovación» de la sociedad que, tras volver al auténtico islam, debía erradicar la injusticia social y económica imputada a un estado «secular» y a su «protectora», la Europa colonialista.

Peshawar, Pakistan, octubre de 2002. Muchacha a favor de la ŷihād.

Los cinco pilares de la fe

El islam se basa en cinco obligaciones fundamentales, los denominados «cinco pilares» que regulan la relación del creyente con Dios. En primer lugar se encuentra la «profesión de fe» que afirma la unicidad de Alá. Siempre en dirección a la Kaaba (literalmente el «cubo»), en La Meca, construida según la tradición por Adam y, más tarde, reedificada por su hijo Set y, por último, por Abraham (Ibrahim). También cabe mencionar los cinco rezos diarios que se realizan al amanecer, antes de que salga el sol, al mediodía después de que el sol alcance el cenit, por la tarde, a la puesta del sol y en el último tercio de la noche. Los gestos rituales —inclinaciones, prosternaciones— y el contenido de estos rezos están directamente inspirados en los del profeta Mahoma. En el ámbito social, la «limosna legal» consiste, para los que disponen de los medios para ello, en una especie de impuesto religioso voluntario y «purificador» que se entrega a los necesitados. El ayuno del mes del ramadán no es una penitencia, a diferencia de la cuaresma cristiana, sino una ascesis espiritual para controlar los instintos y realimentarse en el ámbito religioso. Por último, el peregrinaje a La Meca es obligatorio por lo menos una vez en la vida para los hombres y mujeres que estén capacitados físicamente y dispongan de los medios financieros para realizarlo. En cuanto a la circuncisión consiste en la ablación del prepucio de los varones, que se realiza entre los tres y los siete años, siguiendo el mensaje de Abraham, padre de los semitas y, en particular, de los árabes a través de su hijo Ismael. En cambio, la excisión de las niñas fue condenada por Mahoma aunque sigue practicándose en el valle del Nilo (Egipto, Sudán) y en el África subsahariana.

Los Hermanos musulmanes, un movimiento islamista que creó escuela

La historia del movimiento islamista en Egipto aporta, en este sentido, una información útil sobre el origen de este fenómeno y su influencia en la evolución del cuerpo social en el conjunto del mundo musulmán. Este movimiento fue disuelto en Egipto en 1948, el mismo año en que Hasan al-Banna fue asesinado, probablemente por la policía política de la monarquía. Cinco años más tarde, el general Neguib y los «oficiales libres», encabezados por Gamal Abdel Nasser, instauraron la república, abriendo un nuevo capítulo en la historia del mundo árabe y musulmán contemporáneo al proponer una alternativa al islamismo, e incluso al islam, al mismo tiempo que se preservaba la singularidad de una sociedad que quería emanciparse del dominio occidental.

▌La Šarī'a

La Šarī'a es el «camino recto prescrito» (por Alá) que reúne la totalidad de los mandamientos de Dios tal y como están enunciados y prescritos en el Corán y en las Tradiciones: prohibiciones islámicas relativas al conjunto de las actividades sociales del hombre y bases del derecho penal, civil y comercial.
La parte propiamente jurídica fue elaborada por las cuatro escuelas jurídicas sunníes. Como el islam es una religión social, todas las actividades humanas están incluidas en las cuatro categorías jurídicas predefinidas, que van de lo estrictamente «prohibido» a lo permitido, pasando por lo que está «recomendado» y «no prohibido pero desaconsejado».

El nacionalismo árabe teñido de socialismo que encarnó Nasser como alternativa al retorno a la tradición marcó un hito de tal importancia que el rais egipcio dio nombre a una ideología que hizo historia, el nasserismo. Deliberadamente proclive a la modernización, esta ideología reivindicaba la identidad árabe e incluso la herencia de las antiguas civilizacio-

Ejecución pública en Arabia Saudí.

72

Nasser y el nasserismo

Gamal Abdel Nasser (1918-1970), un militar procedente de una familia modesta del Alto Egipto, creó y dirigió el grupo de los «oficiales libres» nacionalistas que destronó al rey Faruk (1952) e instauró la república (1953). En 1955, la conferencia de los países no alineados de Bandung (Indonesia) lo designó como líder indiscutible del mundo árabe. Nacionalizó el canal de Suez en 1956, provocando una intervención franco-británica apoyada por Israel. La experiencia democrática pronto se vio contrarrestada por el autoritarismo de un régimen que se autocalificaba como «socialista árabe» y reproducía el sistema de partido único (1961) de la URSS, con la que El Cairo se alineó cada vez más. Sin embargo, Nasser desempeñó, indiscutiblemente, un papel esencial en la modernización del país: nacionalizaciones, reforma agraria y creación de clases medias, unas reformas que parecían cuestionar los pilares tradicionales de las sociedades musulmanas. Pero, aunque la derrota árabe frente a Israel (1967) obligó a Nasser a dimitir, el gran carisma del que todavía gozaba le hizo regresar al poder, reclamado por un inmenso movimiento popular. Sin embargo, su muerte en 1970 constituyó el principio del declive de los intentos de unificación de los países árabes.

nes que enaltecían el orgullo nacional —el Egipto de los faraones o los asirios en Iraq. Lo hizo, con razón, en clave de laicidad, puesto que el islam universalista rechazaba el concepto de nación, que quedaba diluido en la gran comunidad de los musulmanes (umma). De hecho, el nasserismo, con unas consignas profundamente antiimperialistas, no tardó en enfrentarse a las resistencias de los elementos de la sociedad vinculados a la tradición musulmana, que se negaban a que la religión se «privatizara» en tal medida, que se relegara a la intimidad de la conciencia individual. La coexistencia de estas dos concepciones antagónicas de la sociedad pronto se hizo imposible. El movimiento de los Hermanos musulmanes fue disuelto una vez más en 1954 por Nasser, quien, aprovechando el rumor de un complot para asesinarle, llevó a cabo unas violentas purgas. Así, en 1966 ordenó la ejecución de Sayyid Qutb, el nuevo ideólogo de los Hermanos musulmanes, junto con otros miembros del movimiento. Este hecho consumó en el mundo árabe la ruptura entre un nacionalismo triunfante cuyo modelo era Nasser, inspirado en el mundo socialista hasta en su dimensión totalitaria, y los defensores de la tradición musulmana e incluso de un islam político,

Dammān, Arabia Saudí, en septiembre de 1956. Unión sagrada entre el rey de Arabia, Saud Ibn Abd al-Aziz, en el centro, el coronel Nasser, a la derecha, y el presidente sirio Chukri al-Quwwatli, vinculados por un pacto militar.

El islam y la sociedad 73

quienes se radicalizaban debido a la acumulación de frustraciones. En 1967, la humillante victoria militar de Israel frente a los países árabes empezó a desacreditar al nacionalismo árabe y puso de nuevo de relieve el fundamentalismo islámico. Ante la inminencia de una insurrección armada, el poder egipcio llevó a cabo la rehabilitación de los dirigentes del ala moderada de los Hermanos musulmanes, lo que, por otra parte, no redujo la influencia de los elementos radicales del movimiento.

Estos grupúsculos islamistas apoyados, en algunas ocasiones, por oficiales del ejército egipcio, optaron por la acción revolucionaria e incluso por el terrorismo, sobre todo teniendo en cuenta que las negociaciones de paz con Israel que llevó a cabo Sadat (acuerdos de Camp David en 1978) en el inicio de la década de 1970, dejaron perpleja a una gran parte de la opinión pública árabe. El conflicto arabe-israelí actuó, pues, de catalizador del movimiento islamista, que pretendía tomar el relevo de un nacionalismo humillado por las sucesivas derrotas, al tiempo que sembraba la semilla del odio hacia el Occidente «judeo-cristiano» encarnado en los aliados norteamericanos del Estado hebreo. Incluso antes de la guerra de 1973 contra Israel, algunas asociaciones islámicas (gama´at islamiyya) se habían implantado en los medios estudiantiles, proponiendo una formación ideológica vinculada a un fortalecimiento de la práctica religiosa y a una intensa propaganda. Las concesiones del presidente Sadat en 1971 y, más tarde, en 1980, quien incluso incluyó en la Constitución la *šarī'a* como

Egipto, 6 de octubre de 1981. El presidente egipcio, Anuar el-Sadat, es asesinado por extremistas musulmanes durante el desfile de la fiesta nacional.

la principal, e incluso como la única norma jurídica, no redujeron el odio de los islamis-tas, quienes le asesinaron en 1981. Por una cruel ironía, el presidente egipcio fue ase-sinado mientras participaba en la fiesta nacional de una rama de la cofradía de los Hermanos musulmanes. A partir de entonces se hizo evidente la imposibilidad de un compromiso entre los islamistas radicales, cuya prioridad era la islamización de la sociedad empezando por el estado, y unos gobiernos proclives al fundamentalismo, que utilizaban, cada vez con mayor complacencia, los decretos de los teólogos mu-sulmanes para regular la sociedad desde abajo, desde los mismos individuos. El suce-sor de Sadat, Hosni Mubarak, se vio también obligado a pactar con los islamistas, la principal fuerza de la oposición, como se hizo patente en las elecciones de 1984 y 1987, alternando la represión con las concesiones. Sin embargo, se mostró implaca-ble cuando estos militantes islamistas atacaron directamente a Occidente, gracias al cual se sostenía una economía nacional con graves dificultades y existía una impor-tante afluencia de turistas que gastaban sus divisas en el valle del Nilo.

Los intentos para «nacionalizar» las sociedades musulmanas

Olvidado desde hace tiempo en Egipto, el nasserismo ha sobrevivido hasta la actua-lidad fuera de su patria de origen bajo formas diversas, tomando cuerpo en partidos únicos decididamente laicos y nacionalistas y dirigiendo, siempre de forma autoritaria, el último rincón de cualquier país del mundo árabe en el que los islamistas se en-cuentren fuera de la ley. Inspirándose en el modelo político de la URSS, o en las ex-periencias de laicización a ultranza de las repúblicas musulmanas soviéticas de Asia central y del Cáucaso, estos países proponían otra vía y otro modelo de sociedad, en los que el estado-partido intervenía directamente en la vida pública y privada, inclu-so para vigilar estrechamente la práctica religiosa en las mezquitas, que se hallaban bajo su control. Éste fue el caso de Siria e Iraq, ambos dirigidos por dos ramas, que acabaron siendo rivales, del partido Baaz que, tanto en Damasco como en Bagdad, controlaban el mantenimiento del laicismo a cambio de un autoritarismo que repri-mía a islamistas y demócratas. Las consignas revolucionarias y nacionalistas resona-ban también en Libia, donde la monarquía oscurantista de los senusíes fue derrocada en 1969 por Muammar al-Gadafi, un joven oficial tecnócrata moderno que preconi-zaba una «tercera vía» basada en un «socialismo islámico» en el que el Corán era la única fuente de legitimidad, mientras que las «hadiz» (las «tradiciones del Profeta») pasaban a un segundo plano. Se trataba de una interpretación muy personal del is-lam, acompañada de una liberalización de las costumbres, singularmente respecto a la condición femenina, lo que desató la ira de Arabia Saudí.

Por último, en la península Arábiga, en las mismas puertas del reino saudí, Yemen del Sur constituía un enclave comunista totalmente proclive a Moscú. Inspirado muy a menudo en el modelo soviético, esta forma de acceso a una modernidad laica de las sociedades musulmanas se vio, sin embargo, obstaculizada por la falta de democra-cia, desacreditando a estos regímenes ante una gran parte de la opinión pública ára-be y musulmana, y poniendo de nuevo sobre la mesa la opción islamista.

La invasión de Afganistán por las tropas soviéticas y la revolución islámica en Irán

Del Magreb al golfo Pérsico, en el momento en que el duro conflicto israelí-palestino exacerbaba las pasiones, la exaltación de un nacionalismo árabe derrotado y desacelerado se enfrentó, cada vez con mayor violencia, a la afirmación de los valores musulmanes en clave de fundamentalismo, cuyo bastión era Arabia Saudí, o al islamismo, ambos unidos temporalmente por el mismo odio visceral hacia el comunismo impío. Este último se convirtió en el principal punto de mira de los islamistas cuando las tropas soviéticas invadieron Afganistán en 1979, justo antes de que se produjera la revolución iraní y se creara una república islámica en Irán, dos hechos fundamentales que marcaron de forma duradera la evolución de las sociedades musulmanas. La conjunción de estos dos acontecimientos, que tuvieron lugar en la periferia del mundo árabe, en un contexto internacional marcado por el peso creciente de los estados árabes tradicionalistas del Golfo en la economía mundial, gracias al petróleo, tuvo repercusiones que se extendieron al mundo musulmán, poniendo de manifiesto sus contradicciones. En 1979, la irrupción de las tropas soviéticas en Afganistán, respondiendo oficialmente a un llamamiento de una facción comunista local que acababa de derrocar a la monarquía, provocó un profundo rechazo del comunismo en el mundo musulmán. Este hecho fue paralelo a una radicalización del islam, encabezada por Pakistán y Arabia Saudí. Esta última no dudó en financiar con petrodólares a los movimientos islámicos más rigoristas con la aprobación de Estados Unidos. Movilizados contra la URSS y un modelo comunista que tendía a imponerse en Afganistán y amenazaba con desestabilizar a Pakistán, los combatientes del islam, y entre ellos los islamistas, procedentes de todos los lugares, proclamaron la ỹihād, que encontró un territorio de maniobras

Carros blindados soviéticos en Afganistán. El 27 de diciembre de 1979, 9 000 hombres del ejército rojo entraron en Kabul para apoyar a Babrak Karmal, que acababa de hacerse con el poder.

La experiencia de Mossadegh

Muhammad Hedayat, llamado Mossadegh (1881-1967), ocupó diversos cargos oficiales en la oposición a la dinastía de los Pahlawi (1925-1979), preconizando un «equilibrio negativo» que garantizara a Irán su plena independencia económica, antes de encabezar un Frente nacional del que formaba parte el partido comunista Tudeh. Nombrado primer ministro en 1951, hizo votar la nacionalización de la poderosa Anglo-Iranian Oil Company, que no estaba de acuerdo con la proporción de los ingresos petroleros que se concedían a Irán. Los países anglosajones boicotearon entonces el petróleo iraní y Mossadegh fue detenido por los militares —al servicio del sha— y condenado a un arresto domiciliario. Mossadegh fue el primer político de Oriente medio que se atrevió a nacionalizar el petróleo y, por esta razón, sigue siendo una figura importante para los iraníes.

apropiado a escala real en las montañas afganas. Al mismo tiempo, y en el mismo espacio geopolítico, Irán se agitaba por el impulso de una inmensa ola revolucionaria que movilizó a toda la oposición, unida contra el régimen autoritario del sha. Pero los islamistas se impusieron inmediatamente, encabezados por el ayatollah Ruhollah

Jomeini, quien era reclamado por las masas entusiastas para que abandonara su exilio en Francia. La revolución, con unos fuertes componentes sociales y nacionales, se volvió exclusivamente islámica, de manera que se islamizó el estado y se marginó hasta su erradicación a sus antiguos colaboradores en la lucha contra el régimen del sha, condenado, a su vez, al exilio. La base en la que se cimentó la revolución fue el odio por la modernidad de tipo occidental, a la que se hizo

Teherán, 1979. Manifestación contra el régimen del sha, que tuvo que abandonar el país el 16 de enero.

responsable de las profundas desigualdades sociales. Sin embargo, esto no bastó para permitir la coexistencia de los mullahs con los defensores de la laicidad, bien comunistas o demócratas, surgidos de una larga tradición de oposición, a menudo dolorosa, que también tuvo sus mártires, como, por ejemplo, Mossadegh.

Esta primera experiencia de un estado basado en el islam conmocionó profundamente a una sociedad abierta hasta entonces a las costumbres occidentales, al imponer el velo islámico (chador) a las mujeres, relegadas a un segundo plano a partir de aquel momento, y controlar escrupulosamente bajo la férula de los pasdaran («guardianes de la revolución») el cumplimiento de las reglas islámicas, mientras el aparato económico pasaba bajo el control directo de las autoridades —que, evidentemente, desconfiaban de las empresas privadas— quienes nacionalizaron todas las riquezas del país. Sin embargo, los mullahs iraníes fracasaron en su intento de encabezar una revolución mundial islámica que superara las diferencias entre chiitas y sunníes. Los excesos de una revolución que multiplicó los anatemas contra los «grandes satanes» representados por los americanos, israelíes y, en menor medida, soviéticos, les recordaron su singularidad religiosa, condenando al Irán chiita a la autarquía. Incapaz de exportar su modelo de sociedad al resto del mundo musulmán, Irán tuvo que enfrentarse, poco después de acabada la revolución, a una sangrienta guerra con el vecino Iraq. Éste recibía el apoyo de Occidente, así como de Arabia Saudí y las monarquías petroleras del Golfo, que en aquel momento parecían menos temerosas del nacionalismo laico de Saddam Hussein que de las revoluciones chiitas y de sus émulos islamistas, sospechosos de formar parte de la constelación de un terrorismo inter-

Desfile de mullahs armados en Teherán, 1980. El 23 de septiembre las fuerzas armadas iraquíes invadieron el territorio iraní.

nacional embrionario (al que todavía no se atribuía la etiqueta islamista). Si bien la sangrienta guerra con Iraq (1980-1988) aglutinó política y socialmente al país a cambio de más de un millón de muertos, el enorme coste material y humano constituyó un fuerte golpe para una población cansada de privaciones económicas y del aislamiento de su país. Al sembrar el temor a una revolución islámica en los países musulmanes, el precedente iraní reforzó el proceso de reislamización de la vida cotidiana y del derecho en numerosos estados musulmanes, presionados también

El ayatollah Jomeini, profeta del chiismo iraní

El chiismo duodecimano («de los doce imanes») fue reconocido como religión de estado en Irán bajo la dinastía Safawi en 1503, lo que confirió una dimensión «nacional» a esta religión con connotaciones mesiánicas y tercermundistas en el siglo xx. Los imanes desempeñaban el papel de intercesores entre la ciudad de los hombres y Alá. Para restaurar el orden social chiita, amenazado en sus propios fundamentos por la política secular del sha, el ayatollah (el «signo de Alá») Ruhollah Jomeini se involucró en el activismo revolucionario. A partir de 1963 multiplicó los llamamientos para que se llevara a cabo una sublevación contra el régimen de los Pahlawi. Desautorizado por los demás mullahs (teólogos chiitas), se ganó la confianza de los más desfavorecidos, así como de las clases medias y de los intelectuales radicales que desempeñaron un papel clave en la revolución islámica. Exilado en 1963 en Iraq (que cuenta con una importante minoría árabe chiita y alberga las tumbas de los principales imanes, como la de Alí, yerno del Profeta, en Nadjaf, mientras que la de su hijo Hussein se halla en Karbalā') y, más tarde, en un suburbio parisino, aprovechó su exilio para apadrinar una intensa propaganda que concedía una gran importancia al martirio, en la más pura tradición chiita, y exaltar la justicia social, una cuestión que le permitió ganarse el apoyo de determinados círculos de izquierdas. Para el imán Jomeini, el gobierno, confiado únicamente a los juristas del derecho religioso, era un instrumento al servicio de la ley de Alá, la šarī'a. Hizo incluir en la Constitución un artículo —la «Regla del Jurisprudente»— según el cual la principal autoridad del estado debía ser un religioso, él mismo, estrechamente secundado para evitar cualquier desviación. Después de su muerte en 1989, su sucesor Alí Jamenei, nombrado «guía de la revolución islámica», se encargó de recordar esta herencia y de hacer valer su supremacía política, oponiéndose, a la cabeza del clan conservador, a las reformas realizadas desde 1997 por el popular presidente Muhammad Jatamí para liberalizar la sociedad iraní.

🔍 **La guerra del Golfo, 1990.** Llegada de las tropas norteamericanas, equipadas con máscaras antigás, a Arabia Saudí.

por los medios fundamentalistas, cuya influencia se acrecentó con la resistencia de los mujahiddines afganos frente a los soviéticos. Sin deber nada a Irán y a los revolucionarios islamistas, la victoria de los afganos, que contribuyó al hundimiento de la URSS, constituyó un hecho decisivo en la evolución de las sociedades musulmanas.

Una coincidencia puntual entre Occidente y el islam

Al llenar de orgullo al mundo musulmán, cuyos representantes más diversos coincidieron en el campo de batalla afgano, esta victoria sobre la hidra soviética hizo olvidar la humillación de las divisiones y las guerras entre países musulmanes y acrecentó el prestigio del islam frente a unos regímenes de partido único laicos, considerados como vestigios fosilizados de la guerra fría. Por otra parte, Estados Unidos y Occidente, en general, ayudaron financieramente y, a veces también, militarmente a los combatientes de la yihad y, más tarde, respondieron a la petición de ayuda de las monarquías árabes del Golfo amenazadas por Iraq, dominado por Saddam Hussein, quien resultó derrotado en la guerra de 1991 gracias a una amplia coalición de los países musulmanes más fundamentalistas con los occidentales. Pero esta coincidencia entre Occidente y el islam fue puntual, incluso meramente táctica, ya que el vacío dejado por la desaparición de la URSS se llenó rápidamente con el resurgimiento del odio hacia Occidente, avalado por la miseria, la corrupción, el autoritarismo y la dependencia política, económica y cultural de numerosos países musulmanes.

La evolución del lancinante conflicto palestino-israelí reforzó, por otra parte, el resentimiento y la humillación. Este contexto, que anunciaba un nuevo orden mundial, propició un potente resurgimiento del islamismo, que en todos los lugares amenazaba a los regímenes en el poder, y se decantaba claramente por la violencia y, a veces, por el terrorismo. En los lindes meridionales del reino saudí, Yemen del Sur, de ideología comunista, no sobrevivió al hundimiento del régimen soviético. Tras una breve guerra, en 1990 fue absorbido por su hermano enemigo fundamentalista, Yemen del Norte. En este país los islamistas, que ocupaban una cuarta parte de los escaños en el Parlamento de Sanaa desde las elecciones de 1988, extendieron su influencia a Adén, transformando radicalmente una sociedad que había conseguido liberarse de forma notable del peso de las tradiciones religiosas y tribales yemeníes. También en Sudán, una rama de los Hermanos musulmanes que hacía campaña desde que el país obtuvo la independencia en 1956 para que se aprobara una constitución basada en el Corán y la *šarī'a*, consiguió sus objetivos, obligando al presidente Yafar al-Numeiry a imponer literalmente la ley islámica (*šarī'a*). Además del aislamiento de este país africano pobre, que se convirtió en uno de los bastiones del integrismo, una de las consecuencias más desastrosas de esta islamización fue la persecución de las poblaciones cristianas y animistas de las regiones meridionales, involucradas hasta el momento actual en una guerra desigual contra el régimen intolerante de Jarṭūm.

En Argelia, durante la década de 1980, se produjo un proceso similar, que tuvo que enfrentarse a la resistencia de un régimen laico y autoritario controlado por el F.L.N. (Frente de liberación nacional), aliado de la URSS y que todavía conservaba la aureola de la victoria en la guerra de independencia (1954-1962) contra la potencia colonial francesa. El régimen consiguió sobrevivir gracias a los militares, que en 1992 anularon las elecciones que iban a llevar al poder a los islamistas del Frente islámico de salvación (F.I.S.), cuya popularidad se vio reforzada por un índice de desocupación sin precedentes y una miseria que es cada vez mayor.

El zoco de Argel, junio de 1990. En la pared pueden leerse consignas hostiles al gobierno y de apoyo al FIS.

La intervención de los militares en la vida política acabó de desacreditar al régimen gangrenado por la corrupción, al tiempo que radicalizaba a los islamistas, que constituyeron auténticas milicias, la más importante de las cuales, el G.I.A. (Grupo islámico armado), hizo reinar un terror absoluto. Las atrocidades de una guerra civil, que se saldó por lo menos con 200 000 víctimas desde 1992, alejaron a los islamistas radicales de su base popular, y tampoco reestablecieron el prestigio de un régimen que era el responsable de la violencia que había sufrido la población. Argelia constituye actualmente un raro ejemplo de una sociedad laica y abierta en la que el islam se impuso progresivamente mediante el terror promovido por los islamistas incluso en la intimidad de las familias, más que por una iniciativa de un poder político que rechazó todo «compromiso con los terroristas». Bajo la presidencia de Abdelaziz Buteflika, y tras el aislamiento de los islamistas radicales, Argelia ha optado, sin embargo, por la vía de una reconciliación nacional, aglutinando a los militantes laicos y a los islamistas moderados.

De Islāmābād a Kabul

En el otro extremo del mundo musulmán, Pakistán, desde antes de su creación y como consecuencia de la sangrienta partición con la India en 1947, ha sufrido la influencia de las corrientes islamistas. Literalmente «país de los puros», Pakistán propuso un modelo de sociedad basado en la religión, opuesto a la India multiétnica y multiconfesional, en la que los musulmanes eran, por otra parte, todavía más numerosos en aquel país. Desde su creación en 1941, la Islamic Society (Jamaat-e-Islami), dirigida por el influyente ideólogo Mawlana («nuestro maestro») Abul Ala Mawdudi (fallecido en 1979), pretendió instaurar un estado islámico (en oposición al estado-nación), con lo que estigmatizó al nacionalismo por impío (*kufr*, en lengua urdú), puesto que se consideraba un producto de importación occidental.

Sus llamamientos para llevar a cabo una ruptura radical con el orden establecido obtuvieron respuesta entre una parte de la juventud —tanto la escolarizada como la más

Lahore, Pakistán, junio de 2002. Unos niños estudian el Corán en una madrasa.

desfavorecida— así como de los religiosos y los representantes de unas clases medias muy minoritarias que estaban a favor de la instauración progresiva de un estado islámico. Su proyecto de sociedad y de gobierno auténticamente «islámicos» hacía tabla rasa frente a toda la herencia occidental legada por los británicos. Incluso en el ámbito económico, el sistema bancario fue considerado impuro por los musulmanes, quienes debían dar paso a unas prácticas financieras propias de la tradición musulmana, como el sistema de transacciones de la «hawala», una red comercial que, al permitir las transferencias de fondos sin dejar indicios, fue ampliamente utilizado con posterioridad para financiar a los grupos islamistas.

Su visión totalitaria de la sociedad, próxima a la desarrollada por el egipcio Sayyid Qutb, partidario de la intensificación de la ŷihād, rechazaba el concepto de soberanía popular, ya que se consideraba un invento occidental que pretendía desafiar a la autoridad de Dios en la Tierra. El movimiento alcanzó una influencia tan notable que, en 1973, el primer ministro Zulfikar Alí Bhutto (1970-1977), jefe del populista Partido del pueblo pakistaní, proclamó a Pakistán «república islámica y socialista», una maniobra que pretendía contrarrestar la fuerza de los islamistas, pero que no impidió el surgimiento de numerosos partidos político-religiosos, que tenían como objetivo la creación de un estado islámico.

En 1977, su creciente oposición benefició al general Zia Ul-Haq (fallecido en 1988), que tomó el poder a través de un golpe militar gracias al apoyo de la Jamaat, y una de cuyas primeras medidas fue el ahorcamiento de Alí Bhutto (1979). Zia intensificó el proceso de islamización de la sociedad pakistaní para, entre otros objetivos, hacerla más homogénea (los chiitas, que representan el 15 % de la población, constitu-

Primer encuentro después de la escisión. A la derecha, el primer ministro pakistaní, Zulfikar Bhutto, recibió en 1974 a su homólogo de Bangla Desh, Mujibur Rahman, en el marco de la Cumbre islámica. Por primera vez desde 1971, fecha de la escisión con Pakistán, un jefe de estado de Bangla Desh pisaba territorio pakistaní en nombre de la solidaridad musulmana.

yen numéricamente la segunda comunidad de este credo después de Irán). Asimismo, confirmó en 1988 la ŷihād como ley suprema del país, permitiendo que los tribunales abolieran cualquier texto de ley que no estuviera de acuerdo con el islam, en su intento por instaurar una sociedad y un gobierno plenamente islámicos.

Karāchi, Pakistan, 1988. Algunos musulmanes celebrando el décimo día de ayuno del Ramadán, golpeándose la cabeza y los brazos con sables.

Pakistán, que se había situado en la vanguardia de la guerra contra Afganistán, quizá más que ningún otro país musulmán, se sintió llamado a la misión tanto espiritual como política de ayudar a los mujahiddines afganos a derrocar al régimen prosoviético de Kabul. Esta contribución activa a la yihad tuvo, evidentemente, como consecuencia el fortalecimiento de la islamización de la sociedad pakistaní. Para ello se contó con el beneplácito de los occidentales y, en primer lugar, de Estados Unidos, cuya prioridad consistía en erradicar la presencia soviética en Afganistán para impedir que los rusos llegaran a hacer realidad su vieja ambición de tener acceso a los «mares cálidos». Pero los partidos religiosos como la Jamaat, regularmente desautorizados por las urnas, desempeñaron un papel marginal en la escena política. Pakistán fue incluso el primer estado musulmán que nombró a una mujer para el cargo de primer ministro, Benazir Bhutto (la hija de Alí Bhutto) que, sin embargo, fue obligada a abandonar la política y a exiliarse durante la década de 1990 por haber intentado cambiar el statu quo islámico de la sociedad pakistaní. Tras la sangrienta secesión de Bangla Desh en 1971, el antiguo Pakistán oriental, que contaba con una amplia mayoría de musulmanes, también se decantó por la opción islamista, desarrollando así un modelo de sociedad basado en la tradición islámica más rigorista. La explosión demográfica (entre 1970 y 1990, la población de Pakistán pasó de 65 a 120 millones de personas) alentó esta tendencia, agravando el empobrecimiento de una población con un índice de alfabetización muy bajo y una tasa de desocupación que obligó a millones de pakistaníes a ofrecer su trabajo a cambio de un sueldo miserable a los estados petroleros del Golfo. Para estos excluidos del desarrollo económico y de la globalización, las escuelas coránicas representaban muy a menudo la única fuente de un saber cuya estrechez de miras pusieron de manifiesto los talibanes (estudiantes de religión) al imponer a la población afgana de 1996 a 2001 la lectura más oscurantista del Corán. Conjugando la recitación de los versículos del Corán (en árabe) con un conjuro retórico que acusaba a los occidentales, a sus «lacayos» musulmanes, y por supuesto, a los vecinos hindúes impíos, en Pakistán proliferaron las madrasas, sobre todo en las zonas llamadas «tribales» del norte, donde la minoría pashto creó estrechos vínculos, al otro lado de la frontera, con los talibanes, originarios, en su mayoría, de esta etnia, y con sus aliados de la red al-Qaeda de Ossama bin Laden, a los que dieron refugio cuando los aviones norteamericanos les obligaron a huir de Kabul en noviembre de 2001.

Estos asentamientos constituyeron la antecámara de movimientos islamistas cuyo ascenso político se vio frenado por el golpe militar del general Pervez Musharraf, que se convirtió en presidente en 2001. El general-presidente desempeñó un papel poco claro respecto a los islamistas: por una parte, solicitó su ayuda para ayudar a los separatistas musulmanes de Cachemira en la guerra contra el ejército de Nueva Delhi y, por otra, se alineó con Occidente después de los atentados del 11 de septiembre de 2001. Estados Unidos, por otro lado, sólo le dio la opción de abandonar a sus antiguos protegidos talibanes y comprometerse totalmente en la «guerra contra el terrorismo». La amargura que supuso este reencuentro con el antiguo aliado norteamericano para una gran parte de los pakistaníes no les permite alardear en absoluto de la occidentalización de la sociedad pakistaní, sino que, por el contrario, el poder debe pagar esta alianza, como ocurre en el resto del mundo musulmán, a través de crecientes concesiones a los islamistas para intentar mantener un equilibrio político.

Pervez Musharraf y George W. Bush, Washington, febrero de 2002. El general-presidente de Pakistán se alineó con Estados Unidos después de los atentados del 11 de septiembre de 2001.

El islam y la sociedad

Las ambigüedades saudíes

La propia Arabia Saudí no constituye una excepción a la regla. Durante mucho tiempo, el reino de los Saud, celoso guardián de la fe y de los lugares santos musulmanes, creyó que estaba a salvo del contagio islamista. Enriquecido al extremo por los ingresos del petróleo, que rebosa en la tierra que vio nacer al Profeta, utilizó sus petrodólares con generosidad para reforzar la práctica del islam en el mundo musulmán, intentando así contrarrestar la influencia de los islamistas. Riyāḍ considera a estos últimos como una amenaza para el orden social fundamentalista establecido definitivamente por el Corán, que en el reino saudí se interpreta de la forma más rigorista y formalista. Como testimonio de su piedad y de su respeto por las tradiciones musulmanas de solidaridad y apoyo a los más desfavorecidos, Riyāḍ financió la construcción de mezquitas y la difusión del Corán por todos los lugares donde hubiera sunníes, sobre todo donde consideraba que la «sunna» (la comunidad sunní), había sido

Mujeres ataviadas con el «burka», Arabia Saudí, 1990. El reino saudí interpreta el islam en términos extremadamente rigoristas.

ultrajada por la laicidad, tal y como en las repúblicas de Asia central. Arabia Saudí también aportó su ayuda financiera a todos los frentes en los que el islam estaba amenazado, desde Afganistán hasta Bosnia pasando por Chechenia y Filipinas, incluso a las comunidades musulmanas inmigradas de los países occidentales. Visceralmente hostil al chiismo, no dudó en apoyar al Iraq laico de Saddam Hussein durante la guerra con Irán. Sin embargo, este hecho no le impidió, años después, participar, a un coste muy elevado, en la guerra del Golfo, que tuvo lugar gracias a una amplia coalición internacional encabezada por los norteamericanos para expulsar al ejército de Bagdad de Kuwayt. Pero, si bien los saudíes se muestran generosos en sus tareas proselitistas, la realidad es que no constituyen un modelo de virtud para el mundo musulmán. La dinastía de los Saud y los círculos allegados a la familia real, que detentan todos los resortes políticos y económicos, llevan un tren de vida suntuoso que contrasta con las masas musulmanas pobres. El desprestigio de la monarquía saudí se ha ido incrementando, tanto en el mundo musulmán como en el propio reino, donde cada vez resulta más difícil de aceptar el alineamiento del país con Estados Unidos, cuya presencia militar persiste desde la guerra del Golfo. La dinastía Saudí, que se creía a salvo del islamismo radical desde que impuso el wahhabismo, después de la primera guerra mundial, ha sido víctima, a su vez, de los excesos de la predicación wahhabí, que preconiza el modelo más rígido de un islam conservador, rigorista y formalista, cuyas semillas extendió en el conjunto del mundo musulmán a fuerza de petrodólares. Asociado a menudo con el terrorismo islamista, ya que muchos de sus miembros son originarios de Arabia Saudí, empezando por el yemenita nacionalizado saudí Ossama bin Laden, el wahhabismo se vuelve ahora contra una monarquía acusada de usurpar los santos lugares del islam y pretende emanciparse del modelo Saudí. Al mismo tiempo, esta coincidencia ha hecho recaer las sospechas en Arabia Saudí y ha provocado un enfriamiento en las relaciones con Estados Unidos y Occidente, cuya influencia sobre una sociedad tan cerrada sigue estando todavía poco clara.

Los avatares del laicismo turco

A diferencia de Arabia Saudí, Turquía, desde que Mustafá Kemal creó una república en 1923, ha edificado sobre los escombros del Imperio otomano un modelo de sociedad profundamente vinculado a una laicidad que corre paralela a un nacionalismo exacerbado. El contexto regional, determinado por la vecindad de la URSS, que en la década de 1920 intentó atraerse al kemalismo, lanzó a Turquía a los brazos de Occidente, lo que se ejemplifica en el hecho de que fue uno de los primeros países en convertirse en miembro de la O.T.A.N. El alineamiento político de Turquía se acompañó de una occidentalización de la sociedad sin parangón en el mundo musulmán: por ejemplo, el derecho de voto concedido a las mujeres o la adopción del alfabeto latino. Sin embargo, el carácter a menudo brutal de las medidas que tienden a extirpar la religión musulmana de la vida política y pública, así como la represión llevada a cabo contra las minorías, principalmente contra los kurdos, alientan un islamismo que, en un primer momento, fue encauzado por los militares, celosos vigilantes del laicismo y del dogma kemalista, pero que adquirió una mayor importancia después de la revolución iraní. La propia Turquía tampoco ha quedado al margen de un movimiento islamista que cuenta con partidos políticos, cuyos resultados en las elecciones fueron progresando durante la década de 1990, a pesar de las repetidas prohibiciones pronunciadas por una justicia que se encuentra en manos de los militares. Al mismo tiempo, se está produciendo una reafirmación de los signos externos de la fe musulmana, como el hecho de que las mujeres lleven velo, y una intensificación de la práctica religiosa. Esta reislamización creciente adquiere, sin embargo, un carácter singular en un país que es candidato a formar parte de la Unión europea y que pretende experimentar un «islamismo moderado» desde que se produjo la victoria del Partido justicia y desarrollo (A.K.P.) en las elecciones legislativas celebradas en noviembre de 2002.

Recep Tayyip Erdogan, líder del partido Justicia y desarrollo, que ganó las elecciones legislativas en noviembre de 2002.

La sociedad musulmana ante sus propias contradicciones

Nacionalismo, arabismo, fundamentalismo e islamismo son, pues, conceptos que han recorrido el mundo musulmán moderno y han puesto de relieve sus límites cuando han pretendido reformar la sociedad musulmana tradicional suscitando, a menudo, grandes desilusiones, paralelas a las expectativas de que eran portadoras. Sin embargo, en un momento en que la globalización tiende a homogeneizar las sociedades, se hace más evidente la polarización entre el mundo musulmán y un mundo occidental portador de valores cuya universalidad se ve cuestionada, incluso con respecto a la democracia y los derechos humanos. Pero si bien el islam también aspira a la universalidad, los que, más allá de su dimensión espiritual, basan este deseo en fundamentos políticos, ¿no han traicionado acaso el espíritu del Corán al que, sin embargo, pretenden seguir al pie de la letra? En otras palabras, ¿puede el islam generar un modelo de sociedad que integre la modernidad? La respuesta a esta pregunta puede encontrarse en la tradición musulmana, cuya riqueza y diversidad de interpretaciones se olvida a menudo, entre los dos extremos representados por el rigorismo wahhabí y la tendencia mística y espiritualista del sufismo.

Desde sus orígenes (en el siglo VII), el islam ha pretendido conciliar «lo religioso con lo profano», «la religión con lo terrenal», sentando así las bases de una teocracia virtual, en la que todos los creyentes sean teóricamente iguales. Sin embargo, sin cuestionar el orden social y político preestablecido por el Corán, en el mundo musulmán tiene lugar un intenso debate teológico-filosófico. En este sentido, hay que recordar que en la época del califato de Bagdad o de la España árabe-andaluza el islam fue el principal transmisor de la filosofía y las ciencias griegas, y se mantuvo abierto a las demás corrientes de pensamiento y religión. Este debate propio del «iytihad» (esfuerzo personal y comprensión del derecho y la religión) suscitó muy pronto la desconfianza de los ulemas (doctores en religión) sunníes.

Para el islamismo contemporáneo, el conjunto de conocimientos humanos debe ajustarse a las «directrices» enviadas a los hombres por Alá, ya que constituye la única fuente de conocimientos, como dio a entender Sayyid Qutb al subrayar el «estado de ignorancia» en el que se hallaban los árabes antes de la revelación del islam al profeta Mahoma. Por esta razón, los islamistas, que pretenden restaurar la gloria del islam, rechazan una parte sustancial de lo que constituyó la grandeza de la civilización musulmana en sus realizaciones culturales y científicas, y consideran la evolución de las sociedades musulmanas contemporáneas como un contramodelo que debe combatirse. Para los islamistas, el estado-nación «impío» constituye el principal obstáculo para la creación de un estado islámico que debe someter al conjunto de la civilidad a la ley divina, la *šarī'a*. Sin embargo, estas pretensiones no encuentran demasiada resonancia en la gran masa de musulmanes que se enfrentan a unas dificultades sociales y económicas que requieren respuestas más concretas. Para muchos de ellos, el retorno a la unidad

Averroes, médico y filósofo árabe, nacido en Córdoba en 1126 y fallecido en Marrakech en 1198, retractándose públicamente ante la puerta de la mezquita de Fez.

Islam y modernidad: una difícil conciliación

El persa Yamal al-Din al Afgani (1838-1897) y su discípulo en Egipto Mamad Abduh (1849-1905) intentaron integrar las ciencias modernas en el pensamiento religioso. Esta corriente se conoce con el nombre de «salafismo». Pero este intento de reestablecer el derecho a la interpretación en contra de la Tradición, se enfrentó a sus propios límites, provocando contradicciones aporéticas y abocando, a fin de cuentas, este intento de modernización a un callejón sin salida. El salafismo fue el origen de una corriente fundamentalista como el islamismo, que se infiltró fácilmente en el vacío conceptual que se había creado, y aceptó el reto de la modernidad mejor que los reformadores o los conservadores, que no estaban preparados para ello.

original, muy teórica por otra parte, de la «comunidad de los creyentes» (umma) que agruparía a los mil millones de musulmanes de todo el mundo teniendo en cuenta su identidad religiosa, tal como preconizan los islamistas, es una mera utopía. El islamismo está condenado a radicalizarse y a encerrarse en una lógica destructiva, puesto que la gran mayoría de los musulmanes aspira a vivir su fe en armonía con la evolución del mundo, en unos estados de derecho que, en la práctica, aún tienen que implantarse. El principal problema reside en que, en espera de que produzca este proceso, el islamismo ha penetrado en las sociedades más laicas, encalladas en un punto muerto que impide o retrasa la emancipación del ámbito social y político respecto al religioso. Esta radicalización se ha hecho patente también en los países mayoritariamente musulmanes de África y Extremo Oriente, donde una tradición islámica más sincrética, resultado de la integración de determinados elementos culturales e incluso religiosos indígenas, está amenazada por este ascenso de la intolerancia religiosa. Este fenómeno también puede observarse en la periferia del mundo musulmán, incluso en los «suburbios» occidentales del islam.

La tentación de un islamismo radical

Así, en Europa, los musulmanes, minoritarios, se contentaban con pedir al estado que respetara su identidad religiosa. Sin embargo, algunos de ellos, en general jóvenes, se sienten tentados por un islamismo radical que plantea la relación con la sociedad de acogida en términos decididamente conflictivos, cuestionando el proceso de integración social y político iniciado por la mayoría de los miembros de estas comunidades. Pero imputar todos los infortunios de las sociedades musulmanas únicamente a la influencia de la religión constituye una percepción occidental corta de miras que no contribuye en absoluto al diálogo entre civilizaciones. Los musulmanes son también fruto de su entorno geográfico, geopolítico, social o cultural, como pone de manifiesto la evolución de sus sociedades. Un investigador musulmán que aboga por la modernidad, Burhan Ghalioun, profesor de la universidad París III, ha desarrollado una tesis según la cual, a pesar de las apariencias, la religión dejará de ser el núcleo central de las referencias políticas de estas sociedades, profundamente influidas también, tanto si los rechazan como si no, por los valores de libertad, igualdad y respeto del individuo que constituyen la base de la civilidad en los países islámicos y en otros lugares. Los problemas que se plantean en las sociedades musulmanas modernas no se deben, pues, a la herencia islámica, sino más bien a esta «lumpen modernidad»

(modernidad en la pobreza) que ha pervertido los fundamentos éticos y políticos de estas sociedades, como ha ocurrido en tantos otros países en vías de desarrollo.

¿Es el islamismo una dolorosa crisis en expansión?

Para Gilles Kepel, un experto francés del islam, los últimos 25 años del siglo xx han estado profundamente marcados por el surgimiento y el ascenso de los movimientos islamistas en un mundo en el que la religiosidad pierde influencia, al mismo tiempo que se ha puesto de manifiesto su declive. En las sociedades musulmanas, en las que la preeminencia occidental se considera una humillación, algunos han creído ver en esta crisis de la fe cristiana una debilidad e incluso una grieta que había que explotar reafirmando la pertenencia a una comunidad religiosa basada en una serie de valores morales que constituyen su fuerza. El islamismo, aprovechando el fracaso de las ideas de izquierda y del nacionalismo en una gran parte del mundo musulmán, ha incrementado su influencia. Asimismo, las bases populares que ha conseguido gracias a sus reivindicaciones de justicia social incluso han vencido la hostilidad de los intelectuales laicos que, después de haber estigmatizado la deriva fascista o el oscurantismo, se han sentido tentados a aliarse con los islamistas. Pero el injerto no ha funcionado y, retomando la tesis de Gilles Kepel, el propio islamismo no ha salido indemne de sus contradicciones internas, como pone de manifiesto la escisión que se ha producido en sus filas entre los partidarios de llegar a un compromiso con los regímenes en el poder y los adeptos de una huida hacia una violencia ciega, cuya expresión más extrema fueron los atentados terroristas del 11 de septiembre de 2001. Esta radicalización de un grupo minoritario de los combatientes fundamentalistas, que ahora captan, sobre todo, a sus adeptos entre las comunidades inmigradas de Occidente, donde el desarraigo, la pérdida de referencias culturales, el fracaso de la integración y, a veces, el sentimiento de sentirse rechazados hacen que una minoría ínfima sea más vulnerable frente a las propuestas integristas, traduciría el declive del islamismo en las sociedades musulmanas. Por otra parte, la evolución económica de estas sociedades refuerza el peso de las clases medias, generalmente más laicas, con las que se está llevando a cabo un nuevo pacto social. ¿Las élites en el poder sabrán aprovechar esta posibilidad histórica de promover la democracia? El mundo islámico se halla, actualmente, en una situación crucial en la que debe decantarse por una u otra opción.

La nueva situación creada por los atentados del 11 de septiembre

La envergadura del «choque de civilizaciones» causada por el 11 de septiembre, del que los medios se han hecho eco hasta la saciedad, puede reforzar la polarización entre el mundo musulmán y el occidental. O bien puede provocar una conmoción que conduzca a los musulmanes a llevar a cabo su ŷihād en la intimidad de su conciencia, respetando escrupulosamente los pilares de la fe, de acuerdo con la definición que hacen los ulemas del «buen musulmán», sea cual sea su escuela de pensamiento, redescubriendo, al mismo tiempo, las tradiciones de tolerancia mística presentes en el islam y los auténticos valores de solidaridad social encarnados por las cofradías.

Tras la desaparición de la URSS y la guerra del Golfo de 1991, fueron muchos los que creyeron que iba a instaurarse un «nuevo orden mundial». Pero esta ilusión se disipó en poco tiempo, sobre todo en la opinión pública musulmana. La continuación del conflicto israelí-palestino, así como la creciente presión de Estados Unidos sobre el mundo musulmán crearon el sentimiento en este último de haber sido engañado. La definición de un «eje del mal», en el que se hallan dos estados musulmanes, Irán e Iraq, la polarización de la «guerra contra el terrorismo» en los islamistas, la invasión de Iraq, así como las importantes estrategias del sector del petróleo acentuaron este malestar. Pero las naciones musulmanas están muy divididas.

Refinería de petróleo en Mascate (Omán)

El difícil reto
de la globalización

El difícil reto de la globalización

Tras los atentados del 11 de septiembre de 2001, el «llamado mundo musulmán» se halla, más que nunca, en el centro de importantes retos internacionales que tienden a considerarlo como una entidad real, unida por intereses comunes.

Sin embargo, no existe un mundo musulmán en el sentido político del término, y el nuevo orden mundial que se ha establecido desde la desaparición de la URSS bajo la égida de Estados Unidos no tiende demasiado a la creación —o al resurgimiento— de esta comunidad política casi mítica de los musulmanes. Es cierto que el mundo musulmán ha ganado terreno en el mapa de un mundo con una estructuración reticular gracias a las autopistas de la información, y que se habla más de él, pero se hace no tanto en términos de razón como de pasión o del miedo que suscita, sobre todo en el mundo occidental, que se considera su principal blanco tras los atentados islamistas de los últimos años, lo que tiende a relegarlo a la esfera de lo irracional. Pero sigue sin ser un actor en la escena internacional, puesto que su peso político ha proseguido su declive tras la desaparición de los grandes imperios musulmanes. El mundo musulmán no ha conseguido encontrar su lugar en el nuevo orden —o desorden— mundial iniciado en la última década del siglo xx, aprovechando el hundimiento de la Unión Soviética, aunque, a menudo, representa uno de los retos más significativos. De ello

11 de septiembre de 2001. El ataque más sangriento y espectacular del terrorismo islámico contra el símbolo de la potencia económica de Estados Unidos, las torres gemelas del World trade center.

Al-Qaeda, una constelación internacional de grupos terroristas

Después del 11 de septiembre de 2001, el terrorismo islamista lleva el apelativo Al-Qaeda, «la base» en árabe. Se trata de una denominación poco adecuada que designa a una constelación de grupos y redes, varios de los cuales figuran como las organizaciones más peligrosas del planeta en las listas elaboradas por Estados Unidos y la U.E. Al llevarse a cabo la guerra contra el terrorismo en Afganistán, Washington pretendía acabar con los líderes de Al-Qaeda y neutralizar a los talibanes, que los habían acogido en su territorio, al mismo tiempo que eliminar al millonario saudí Ossama bin Laden, al que se considera su jefe.

Los talibanes dieron paso a un gobierno «proamericano» en Kabul, aunque su dirigente, el mullah Omar, sigue desaparecido. En cuanto a Bin Laden, un año después del asalto a su refugio en Tora Bora, sigue sin saberse si está «vivo o muerto». Así, en 2003, la guerra contra el terrorismo se encuentra sólo en sus inicios, como ponen de relieve las esporádicas amenazas de atentados que movilizan a Estados Unidos y a los países europeos. Al mismo tiempo, las investigaciones sobre las redes de Al-Qaeda realizadas a partir de las confesiones de los prisioneros talibanes e islamistas detenidos en la base norteamericana de Guantánamo, en Cuba, o de algunos inculpados en Francia o Alemania dan a entender que se trata de una forma de operar muy cerrada. El desmantelamiento del grupo llamado «de Frankfurt», que iba a cometer un atentado en el mercado de Navidad de Estrasburgo en diciembre de 2000, puso de manifiesto que estas redes captan a sus miembros en Londres, eje del islamismo, los entrenan en Afganistán o en Chechenia, y organizan su integración en los países occidentales por medio de la autofinanciación. Las sociedades occidentales se hallan en pie de guerra, pero ésta tiene frentes móviles. Éstos van del Sureste asiático, considerado por G. W. Bush como un segundo frente, a Europa occidental y Estados Unidos, pasando por África y Rusia, que en octubre de 2002 fue víctima de un ataque sangriento en un teatro de Moscú por parte de un comando checheno.

se desprende un sentimiento de impotencia que le impide intervenir en la evolución de un mundo moderno, lo que a veces se considera una injusticia, y que ha dado lugar a este acceso de fiebre integrista de un grupo de adeptos que pretende volver a las fuentes más «puras» del Corán en busca de recetas que le permitan restaurar la gloria del islam. Encerrado en esta lógica tendente al suicidio que le arrastra a una huida hacia adelante sumergiéndole en lo irracional, el islamismo político radical alcanzó su paroxismo con los atentados suicidas del 11 de septiembre de 2001, una auténtica conmoción política, económica y cultural cuyas ondas de choque hicieron temblar a todo el planeta, afectando de forma duradera a las sociedades musulmanas. Al escoger como blanco a Estados Unidos, los terroristas kamikazes y su presunto dirigente, el millonario saudí Ossama bin Laden, líder de una constelación internacional de grupos islamistas que llevan el nombre de «Al-Qaeda» («la base»), desafiaron abiertamente al mundo occidental, pues niegan que encarne y represente a la globalidad planetaria, asestándole un duro golpe. Con este desafío sangriento se pretendía despabilar a las masas musulmanas e incitarlas a romper las cadenas que, a través de sus gobiernos sometidos, las hacen depender de los norteamerica-

El difícil reto de la globalización **95**

nos y de sus aliados. Asimismo, deseaban otorgar un mayor peso a la idea de un «choque de civilizaciones» y reforzar el tenaz sentimiento de una polarización entre el mundo llamado occidental y el denominado musulmán, dos entidades irreductibles entre las que se incrementan las diferencias ideológicas y culturales. Al margen de algunas reacciones superficiales de las masas musulmanas, que manifestaron su hostilidad respecto a los norteamericanos, la gran mayoría de los estados musulmanes aceptó los argumentos de Washington o, por lo menos, lo aparentó. Se alineó, de buena o mala gana, con Estados Unidos para luchar contra la hidra islamista en esta guerra contra el terrorismo, en cuya extensión, sin embargo, fue arrastrado a otro conflicto, en esta ocasión contra el Iraq laico, cuyo presiente Saddam Hussein pretendía derrocar George W. Bush.

Después de haber sido los protagonistas de la mayor parte de los conflictos que afectaron a diferentes regiones del mundo en la última década, los musulmanes se encontraron, una vez más, en medio de una tormenta internacional sin poder ofrecer un frente único o, por lo menos, solidario para enfrentarse a ella, reforzando así la impresión de que se trataba de objetos más que sujetos de pleno derecho de la vida política internacional, tambaleados por intereses contradictorios.

Manifestación antiamericana en Peshāwar (Pakistán) en octubre de 2001. Seguidores de un grupo islamista radical, el Sipah-i-Sipah, queman una bandera norteamericana durante una manifestación antes del rezo del viernes.

Unos GI detienen a soldados iraquíes durante la guerra del Gofo. El 27 de febrero de 1991, una unidad de soldados norteamericanos entró en Kuwayt City y detuvo a los soldados iraquíes que todavía no habían huido.

Un sentimiento de injusticia

El hundimiento de la URSS y del bloque soviético en 1991 tras romper una lógica bipolar que apenas dejaba espacio a la alternativa de una «tercera vía», de la que el espejismo de la no alineación había puesto de manifiesto sus límites en el transcurso de la guerra fría, incluso en los estados árabes laicos y nacionalistas, había hecho creer en la posibilidad de que surgieran nuevos espacios de poder. Los musulmanes habían contribuido a su manera a la caída del imperio soviético, que no pudo resurgir después de verse atrapado en el atolladero afgano frente a unos mujahiddines procedentes de todo el mundo musulmán. Sin embargo, se sintieron engañados. Apoyados financiera y militarmente por los norteamericanos, consideraron que merecían una parte del laurel de una victoria que podía restaurar la imagen de un islam glorioso, cuya fortaleza radicaba en la unión de sus fieles. Sobre todo después de que en 1991, en las arenas del desierto iraquí, los norteamericanos encabezaran una amplia y ecléctica coalición, a la que se unieron otros países occidentales junto con los componentes más diversos del mundo musulmán para expulsar de Kuwayt a las tropas de Saddam Hussein. Parecía esbozarse ese «nuevo orden mundial» prometido por el entonces presidente de Estados Unidos, George Bush padre. Sin embargo, el mundo árabe y, de forma más amplia, musulmán, al haber sido el teatro principal de este nuevo orden del mundo en gestación, pronto tuvo que rendirse a la evidencia de que no formaba parte del mismo y, lo que es más, a veces era considerado un factor de desorden. Si bien la Unión europea, otro polo esencial del mundo occidental, intenta desesperadamente constituirse en una fuerza política, económica y militar que pueda rivalizar con Estados Unidos, el mundo musulmán no ha hecho ningún esfuerzo en este sentido. En los asuntos que se plantean a escala planetaria, sigue alineándose con Estados Unidos, del que generalmente depende en el ámbito financiero, a pesar de las enormes riquezas de algunos de sus miembros, que se hallan entre los primeros productores mundiales de petróleo y de gas natural. Se trata de una pa-

El difícil reto de la globalización

radoja que sólo lo es realmente en apariencia, puesto que este sector energético se encuentra en manos de las principales compañías occidentales y, sobre todo, norteamericanas, que son las que toman decisiones en el mercado del petróleo, mientras los demás mercados obedecen la ley definida por los occidentales, aplicada a través de los organismos financieros internacionales, como el Fondo monetario internacional (F.M.I.) y el Banco mundial, de los que son los principales accionistas.

Las estrategias norteamericanas

Es cierto que, en un primer momento, una convergencia de intereses preservó la imagen de Estados Unidos gracias a su intervención en favor de los bosnios musulmanes y, más tarde, de los albaneses de Kosovo, también musulmanes en su mayoría, en las guerras contra los serbios ortodoxos que tuvieron lugar entre 1992 y 1999, cuando se produjo el desmembramiento de Yugoslavia. Este tipo de intervención no siempre obtuvo los efectos deseados, como ocurrió en Somalia, donde las tropas de interposición norteamericanas enviadas por el presidente Bill Clinton para restablecer la paz entre las facciones rivales involucradas en una sangrienta guerra civil tuvieron que resignarse a una discreta retirada después de que un atentado islamista costara la vida a diez de sus soldados en 1994. Este fracaso, por otra parte, provocó durante años la congelación de la participación norteamericana en este tipo de operaciones.

Pero, en términos generales, la diplomacia norteamericana ha tenido sumo cuidado en no herir la susceptibilidad de los musulmanes para no ser acusada de parcialidad cristiana y, en términos más prosaicos, para no predisponer en su contra a los países exportadores de un petróleo del que su economía, en constante crecimiento, depende también de una forma creciente. Pero sólo hasta un cierto punto. El lancerante conflicto palestino-israelí, en el que Estados Unidos es acusado, en el mundo árabe y, de forma más amplia, en el mundo musulmán, de tomar partido por Israel, puso de relieve los límites de esta convergencia de intereses, cristalizando las tensiones con los occidentales. El inicio de la intifada, la «sublevación de las piedras», en las calles palestinas contra los israelíes en los territorios ocupados a finales de la década de 1980, una vez olvidado, aunque no perdonado, el apoyo del líder palestino Yassir Arafat a Saddam Hussein durante la guerra del Golfo, instó a impulsar el proceso de paz preconizado por Estados Unidos. Éste fue el promotor de los acuerdos de Oslo en 1993, gracias a los cuales se iba a dar paso a la creación de un estado palestino que cohabitaría con el estado hebreo. Al año siguiente, un acuerdo de paz firmado por Israel y Jordania, país que también se encontraba en vías de «redención» después de su controvertido apoyo a Bagdad, hizo nacer la esperanza de una normalización de las relaciones entre los árabes y sus vecinos judíos, catorce años después de que el Egipto de Sadat diera el primer paso en este sentido. Pero cuando el proceso de paz franqueaba un nuevo peldaño histórico con la creación en Gaza y en una pequeña parte de Cisjornadia

de una Autonomía palestina bajo la autoridad de Yassir Arafat, los extremistas de ambos bandos se entregaron a una sobrepuja de violencia que condujo a los responsables políticos israelíes, laboristas y, sobre todo, conservadores del Likud, a contemplar el problema palestino únicamente bajo el punto de vista de la seguridad. Así, se fue destruyendo lentamente una autonomía palestina que se tornó puramente teórica e incapaz, en cualquier caso, cuando tenía la voluntad de hacerlo, de frenar el creciente ascenso de los grupos islamistas como Hamas y la ŷihād islámica, que multiplicaron los atentados suicidas contra civiles israelíes. Al mismo tiempo, las milicias chiitas del Hezbollah libanés, apoyadas por Irán y Siria, llevaban a cabo una guerra de desgaste contra el ejército israelí para que abandonara el sur del Líbano, que finalmente fue evacuado por Tsahal en abril de 2000. Bill Clinton, al final de su mandato, hizo un último intento de mediación entre israelíes y palestinos, quienes en julio de 2000 se reunieron en Camp David. Pero a pesar de que el encuentro se celebró en un lugar en gran medida simbólico, no se llegó a nuevos acuerdos de paz, puesto que ambas partes mantuvieron sus posiciones, sobre todo cuando la discusión trope-

Lanzador de honda palestino en Rām Allāh (Israel-Autoridad palestina) en octubre de 2000.
La segunda intifada enfrenta desde 1999 a la juventud de los campos de refugiados palestinos con las fuerzas armadas israelíes. Como ocurrió en la precedente, la desigualdad en materia de armamento es patente. La única trágica novedad son los atentados suicidas perpetrados por las organizaciones terroristas palestinas.

zó con el escollo del estatuto de Jerusalén, el derecho al retorno de los refugiados palestinos y el cese de la implantación de colonias judías en los territorios ocupados. A Estados Unidos se le reprochó haber tomado partido por los israelíes y no haber empleado su considerable influencia sobre el estado hebreo para que detuviera el proceso de colonización. Este fracaso coincidió con el inicio de la segunda intifada, en septiembre de 2000. Las elecciones legislativas de principios de 2001, celebradas en Israel, llevaron a Ariel Sharon a la presidencia de un gobierno de coalición que tuvo que enfrentarse al endurecimiento de la intifada, a la que respondió con una creciente represión y una política deliberada de marginación de Yassir Arafat. De este modo, no se evolucionó en el proceso de paz. El republicano George W. Bush, que accedió ese mismo año a la Casa blanca, no parecía muy predispuesto a solucionar la situación.

Los norteamericanos, acusados de parcialidad

De un extremo a otro del mundo musulmán, así como en los «suburbios del islam» en Occidente, la parcialidad de la que se acusa a Estados Unidos en la cuestión israelí-palestina exacerba los sentimientos antiamericanos de las opiniones públicas árabes y musulmanas, contrariadas ya por la obstinada política de Washington con respecto a Iraq. Pero aunque la cuestión palestina ha esbozado una cierta solidaridad entre los países árabes y musulmanes —Turquía, por ejemplo, es el aliado más próximo a Israel en la región— no ha sido nunca capaz de aglutinarlos en una diplomacia unitaria, al margen de algunas medidas de boicot con respecto a los productos israelíes y ciertas declaraciones retóricas sin que, por otra parte, se cuestionasen las relaciones privilegiadas con Washington. Numerosos países musulmanes se han apoyado, pues, en Estados Unidos para garantizar su seguridad, tanto con respecto a la fundamentalista Arabia Saudí, guardiana de los lugares santos del islam, que aceptó con los brazos abiertos el establecimiento de bases americanas en su territorio después de la guerra del Golfo, como de la Turquía laica, uno de los primeros países miembros de la O.T.A.N., que puso sus bases militares al servicio de los aviones norteamericanos y británicos, que bombardeaban regularmente blancos militares en Iraq. Este alineamiento de los estados musulmanes con Estados Unidos, que aumenta la incomprensión y la hostilidad de las respectivas opiniones públicas, es el precio que se ha pagado por disponer del apoyo de Washington frente a los regímenes más fundamentalistas y oscurantistas. Esto fue lo que ocurrió en Afganistán, donde los servicios secretos norteamericanos aceptaron los excesos del régimen de los talibanes, apoyados por el vecino Pakistán, siempre que mantuvieran una imagen de paz dentro de las fronteras afganas y no contaminaran al resto del mundo musulmán con su ideología islamista. Esta errónea estrategia de compromiso puso también de manifiesto sus límites cuando los talibanes acogieron en su país a Ossama bin Laden y a los militantes integristas de diferentes zonas, que fueron a entrenarse a las montañas afganas para preparar una ŷihād a escala mundial. Considerado como la retaguardia y el laboratorio de los atentados del 11 de septiembre, Afganistán fue el primer frente de una «guerra contra el terrorismo», que señaló una ruptura con una política de compromiso que se había vuelto contra Estados Unidos: los «combatientes de la libertad» y otros antiguos veteranos de Afganistán, entre ellos Ossama bin Laden, un hombre que tra-

↰ **Niño pakistaní (Rāwalpindi) enarbolando un fusil en miniatura bajo una pancarta que ensalza a los líderes del islamismo radical.** La organización islamista pakistaní Jamiat Ulema-e-Islam reivindica su vinculación con Al-Qaeda.

bajó con la C.I.A. durante la guerra contra los ocupantes soviéticos, se convirtieron entonces en enemigos irreductibles. Como muestra de esta ruptura, este primer episodio de la guerra contra el terrorismo a finales de 2002 confirmó el aplastante avance tecnológico de los norteamericanos. En el caso de los países musulmanes, el presidente Bush consideró que los que no estaban con él, estaban contra él.

En la vanguardia del escenario de las operaciones militares, en cuanto a Pakistán, gobernado por el general Musharraf, quien ocupó el poder en Islāmābād después de un golpe militar en 1999, la única opción posible era un cambio de orientación que podía resultar peligrosa. Tuvo que abandonar inmediatamente a los talibanes, apoyados por una gran parte de la población, para aliarse con Estados Unidos en la guerra contra el terrorismo. Éste, sin embargo, había enfriado sus relaciones con Pakistán debido a las violaciones que se cometían contra los derechos humanos y, sobre todo, por la puesta en práctica de un programa nuclear en el marco de su tradicional rivalidad con su vecino indio. Del Sureste asiático a África, pasando por Oriente medio, los países musulmanes más complacientes con el islamismo, como Indonesia, Sudán o Yemen, tuvieron que demostrar su voluntad de cooperar, por lo que optaron por recibir una ayuda financiera y técnica antes que exponerse al riesgo de una intervención directa de los norteamericanos.

Al mismo tiempo, los atentados del 11 de septiembre, que situaron a Arabia Saudí en el banquillo de los acusados, parecieron haber cuestionado una alianza privilegiada de 25 años entre este reino y Estados Unidos. Este último le reprochaba «no hacer lo suficiente», sobre todo en el aspecto financiero de la guerra contra el terrorismo, y le reclamaba un mayor control de las transacciones bancarias y los fondos entregados a los múltiples organismos caritativos musulmanes sospechosos de financiar las redes terroristas a escala internacional.

El «eje del mal»

Estas insistentes muestras de interés, a veces en forma de ayuda generosa, de la primera potencia mundial respecto a países de un mundo musulmán políticamente más debilitado que nunca, no enorgullecen a los musulmanes, quienes tienen el sentimiento de ser criminalizados y de encarnar el nuevo «imperio del mal» en la conciencia norteamericana y occidental. En su discurso sobre el estado de la unión en enero de 2002 ante el Congreso norteamericano, el presidente Bush señaló a tres países que constituían un «eje del mal» que supuestamente amenazaba la seguridad del planeta con sus programas de armas de destrucción masiva llevados a cabo de forma ilegal. Curiosamente, junto a Corea del Norte, el último vestigio del estalinismo, dos países musulmanes formaban parte de este eje, Iraq e Irán, que encarnan dos corrientes políticas radicalmente diferentes en el mundo musulmán. Cabe destacar que la anterior administración norteamericana ya había señalado a buen número de «estados malhechores».

Irán, víctima del ostracismo de los norteamericanos desde que se produjo el secuestro de rehenes en su embajada durante la revolución islámica en 1979, no ha sido nunca

Secuestro de rehenes en la embajada norteamericana de Teherán en noviembre de 1978. Organizado por las formaciones radicales chiitas durante la revolución jomeinista, este secuestro de rehenes provocó inquietud en Estados Unidos y debilitó la presidencia de Jimmy Carter.

perdonado, aunque haya suavizado sus llamamientos a la revolución islámica. Los norteamericanos, sin embargo, consideran que la república islámica ha conservado toda su capacidad de provocar daños y que incluso la ha incrementado, ya que ha constituido, con la ayuda de los rusos, una central nuclear en Buchehr, en el golfo Árabe-Pérsico que, según Teherán, sólo tiene fines civiles. En cuanto a Iraq, considerado como el elemento más nocivo de este «eje del mal», Estados Unidos siempre ha sospechado que proseguía su programa de armas químicas y nucleares. La presión ejercida sobre Saddam Hussein se acrecentó desde la salida precipitada de los inspectores del desarme de la O.N.U. en 1998. Al dispersarse considerablemente las filas de la coalición de la guerra del Golfo, tan sólo se pudo contar con el apoyo militar de Gran Bretaña en los ataques aéreos esporádicos contra blancos iraquíes. Estos ataques se justificaban, sobre todo, por la sospecha de que Bagdad violaba las zonas de exclusión aérea definidas en 1991 y los compromisos adquiridos en materia de desarme. En el contexto de la guerra contra el terrorismo, el presidente Bush intentó utilizar la movilización y el consenso internacionales que ya obtuvo cuando se produjo la expedición de castigo contra Afganistán,

Saddam Hussein, proveedor de alimentos. Este mosaico en el que aparece el jefe del estado iraquí es una de las numerosas representaciones del dictador en todas las grandes ciudades del país.

pero tuvo que enfrentarse a la resistencia de los países musulmanes y, en 2002, a los debates en el Consejo de seguridad de la O.N.U. respecto a su propuesta de recurrir sistemáticamente a la fuerza contra Iraq. Frente a la oposición de algunos países aliados, como Francia, Estados Unidos tuvo que aceptar los acuerdos de la O.N.U., cuyos inspectores en desarme reemprendieron, en noviembre de 2002, su tarea de visitar los numerosos lugares del territorio iraquí en los que se sospechaba que existían armas o componentes químicos prohibidos.

Sin embargo, este último compromiso no impidió a los norteamericanos continuar preparando la guerra contra Iraq, que finalmente se inició en marzo de 2003 con el apoyo británico y del gobierno español y en contra de la Asamblea general de la ONU. Gran parte de la opinión pública árabe y musulmana, e incluso occidental, se opuso a la guerra porque consideró que un enfrentamiento bélico de este calibre no era la manera de solucionar el conflicto ni destituir al dictador iraquí, cuyo régimen fue totalmente derrocado en pocos días. La caída de Iraq, tras la de Afganistán en 2001, se configuró como un nuevo eslabón de la cada vez más activa presencia de Estados Unidos en Oriente medio.

El difícil reto de la globalización

El petróleo del mar Caspio. Los oleoductos que transportan el petróleo y el gas del Caspio hacia Rusia occidental y Europa cruzan zonas muy conflictivas.

El reto del petróleo

El presidente Bush, estrechamente vinculado al *lobby* petrolero norteamericano, no ha ocultado nunca que el petróleo y el gas natural eran los principales retos de la diplomacia norteamericana. La lucha por el control de las reservas de combustibles fósiles define, con toda seguridad, las reglas del «gran juego» que se lleva a cabo en la inmensa región que se extiende desde Próximo Oriente a Pakistán, pasando por Asia central y el Cáucaso. Teniendo en cuenta los enormes intereses financieros y económicos en juego, Estados Unidos cuenta con las sempiternas divisiones y rivalidades de los países árabes de la región para extender su influencia y, según parece, la cuestión de la guerra de Iraq, al igual que la palestina, no parecen obstaculizar por el momento sus ambiciones. La guerra de Afganistán creó las condiciones necesarias para permitir la presencia norteamericana en Asia central, sobre todo en Uzbekistán y en Kir-

Centro de Grozni, en marzo de 2002. El centro de la capital de Chechenia fue totalmente destruido durante la primera guerra entre el ejército ruso y las fuerzas independentistas chechenas.

guizistán y, en menor medida, en Tadzhikistán, países todos ellos bajo la influencia de Rusia, en mayor o menor grado, y que aprovecharán la ocasión para librarse de los grupos islamistas que operan en su territorio, al mismo tiempo que abrirán una brecha en su enclave. En la orilla occidental del mar Caspio, cuya cuenca cuenta con una enorme riqueza en hidrocarburos, las compañías norteamericanas y occidentales se han interesado por controlar el oro negro y el gas natural. Estados Unidos cuenta con otro socio musulmán y turcófono. Se trata de Azerbaiján que, encabezado por el antiguo dirigente soviético Gueïdar Aliev, se ha ido aproximando a Turquía y se ha integrado en la O.T.A.N., como ella, para librarse de la influencia rusa. Este alineamiento con Turquía y Occidente se traduce en la creación de un costosísimo oleoducto desde Bakú a las reservas petroleras todavía poco explotadas de Azerbaiján, y desde los demás países ribereños del Caspio a la refinería de petróleo mediterránea turca de Ceyhan. Este oleoducto pasará por Georgia, un país del Cáucaso mayoritariamente cristiano y también aliado de Estados Unidos. Tanto es así, que los primeros soldados se concentraron en este país en la primavera de 2002, oficialmente para ayudar a acorralar a los combatientes de Al-Qaeda, dispersos entre los rebeldes y refugiados chechenos en las gargantas de Pankissi, en los confines de Georgia y Chechenia. Proyectada desde 1994, esta gigantesca construcción que transportará un elevado caudal se inició en otoño de 2002 y compite de forma directa con el eje petrolero del norte, bajo control ruso, que abastece a la refinería de Novorosirk, en el mar Negro, con el petróleo de los yacimientos de Bakú y del Caspio. Este eje, en una primera época, pasaba por Chechenia, aunque después de la guerra que ha tenido lugar en esta república caucásica, la rodea a través de un nuevo ramal. Después de los vanos intentos para

El difícil reto de la globalización

hacer fracasar el eje del sur, bajo control occidental, Rusia, ante los hechos consumados, se ha resignado, sobre todo porque su propio oleoducto no tiene capacidad suficiente para transportar el volumen de petróleo que debe extraerse de los yacimientos del Caspio. Por otra parte, ha recibido críticas insistentes por parte de Turquía debido al paso de los petroleros cargados por el Bósforo. El oleoducto Bakú-Ceyhan, construido a pesar de su coste prohibitivo y de la complejidad geológica del terreno, compite directamente con otro país ribereño del Caspio, Irán. Asimismo, este oleoducto se encuentra minado políticamente, puesto que pasa por el Kurdistán turco donde puede producirse un nuevo estallido de violencia, que hasta el momento ha podido contenerse gracias a la detención y al encarcelamiento en 1999 del jefe de la guerrilla kurda del P.K.K., Abdullah Ocalan. El paso del oleoducto por Irán habría supuesto una solución mucho más práctica y menos costosa, pero Estados Unidos se opuso totalmente a ella, debido a la política de aislamiento que sanciona a las compañías que comercian con Teherán. Los norteamericanos, al establecerse en el Asia central exsoviética, esperan poder completar este gran proyecto petrolero en vistas a sus exportaciones. Al mismo tiempo liberalizarán una región que sigue estando bajo la égida de Rusia, y rodearán Irán. Turkmenistán, con una economía autárquica bajo la férula del autócrata neosoviético Sapar-

murad Niazov, se ha arriesgado, sin embargo, a poner en marcha un proyecto de gaseoducto junto con Irán para transportar el gas natural de que dispone el golfo Arabe-Pérsico, cruzando su territorio. Más al norte, el inmenso Kazajstán, que cuenta con una importante minoría rusófona (alrededor del 40 %), parece también poco dispuesto a cuestionar su alineamiento político y económico con Rusia. Sin embargo, Estados Unidos espera todavía poder ampliar

Oleoducto en Arabia Saudí. En el desierto de la península Arábiga, los oleoductos no están soterrados sino sostenidos sobre miles de pilares de hormigón. A lo lejos puede verse una torre de almacenamiento.

su influencia en la región. La creación de un gobierno proamericano en Afganistán podría permitir la creación de otra vía de tránsito para las riquezas energéticas de Asia central. Gracias a esto se podría tener una salida al océano Índico a través de Pakistán, aliado de Estados Unidos, aunque no es probable que pasara a través de la vecina India. Estados Unidos limita la influencia de Rusia en Asia central, contiene la de China, e intenta, por supuesto, evitar que estas regiones se vean influenciadas por el islamismo —que, por otra parte, está poco arraigado en la población después de décadas de laicidad soviética. Al mismo tiempo, los norteamericanos albergan todavía la esperanza de homogeneizar esta región cimentada por una turcofonía que Turquía no ha renunciado a utilizar como un instrumento político para extender su influencia «hasta la muralla de China», sin demasiado éxito por el momento. Esto se explica, además, por los contenciosos bilaterales, alentados por las perspectivas de divisas vinculadas al petróleo, que oponen a los países ribereños del Caspio, como Turkmenistán y Azerbaiján, o a este último con Irán, en espera de una definición jurídica de una división de las riquezas energéticas del mayor mar interior del mundo. A pesar del surgimiento de este nuevo polo energético, cuyos efectos en el mercado mundial del petróleo y el gas natural todavía se desconocen, Estados Unidos no ha renunciado en absoluto a los hidrocarburos de la región del Golfo, donde Arabia Saudí sigue siendo el primer productor de petróleo. La guerra contra Iraq y el derrocamiento del régimen de Saddam Hussein hacen que Washington tenga unas perspectivas considerables, tanto en el ámbito político como en el económico. Si en Bagdad se crea un régimen democrático o alineado con Washington, puede abrirse generosamente la válvula del petróleo iraquí, que se exportaba sólo dentro de los límites del programa «petróleo a cambio de alimentos» definido por la O.N.U. Este programa, por otra parte, privaba más a la población que al gobierno iraquí de los beneficios del oro negro, que actualmente se trueca o se desvía en el mercado negro, y que hace años constituía la mayor riqueza del país. Esto supondría también una menor importancia del petróleo saudí, e Irán estaría todavía más aislado políticamente, sin mencionar a Siria, cuya presencia en el Líbano se volvería problemática.

El resurgimiento de la cuestión kurda

Pero Estados Unidos juega peligrosamente con un fuego que puede extenderse a toda la región, teniendo en cuenta la ausencia de una oposición y de un relevo políticos coherentes en Iraq, que cuenta con el 55 % de árabes chiitas y el 20 % de kurdos que, en general, están a favor de una intervención norteamericana. Pero la cuestión kurda, que siempre ha sido una manzana de la discordia entre los países de la región donde este pueblo sin estado vive disperso, puede plantearse de nuevo y reavivar los viejos antagonismos regionales, puesto que Irán, Turquía e Iraq y, en menor medida, Siria, llegaron a acuerdos a espaldas de los kurdos, cuando no utilizaron sus movimientos de guerrilla, para intentar debilitarlos. Un territorio autónomo kurdo en un hipotético Iraq federal podría constituir un nuevo foco de rivalidades entre turcos e iraquíes, puesto que algunos círculos militares turcos tienen puesta la mirada en la región de Mosul y en su petróleo, que durante la acción bélica de Estados Unidos contra el régimen de Saddam Hussein ya pretendieron invadir.

El mundo musulmán y el petróleo

Si, por una parte, se tiende a confundir el mundo musulmán con el mundo árabe, por otra, este último se asimila e incluso se reduce al petróleo. Los estereotipos resultan difíciles de superar y las enormes reservas de oro negro y gas natural en el Oriente medio árabe —y musulmán— les garantizan, en este caso, una longevidad de varias décadas. Mientras los países desarrollados no encuentren fuentes de energía alternativas que puedan cubrir las crecientes necesidades de sus economías, los países de Oriente medio, cuyas economías requieren menos combustibles fósiles, constituirán un importante polo energético y un reto estratégico esencial para las grandes potencias. La más importante es, naturalmente, Estados Unidos, primer consumidor mundial de petróleo y gas natural, y también el segundo productor mundial. En 1960 creó, junto con Venezuela, Irán, Iraq y Kuwayt, la Organización de países exportadores de petróleo (O.P.E.P.), pero Arabia Saudí sigue siendo el primer productor mundial de crudo (el 11,7 % en 2002) y sus reservas, las segundas más importantes del mundo, le aseguran este puesto durante mucho tiempo. La O.P.E.P., de la que forman parte, además de los cinco países fundadores, los Emiratos Árabes Unidos, Qaṭar, Libia, Indonesia, Argelia, Nigeria, Ecuador y Gabón, representa el 40 % del petróleo que se produce en el mundo y tiene una influencia determinante en los mercados, como lo puso de relieve la crisis del petróleo de la década de 1970. El peso de los países musulmanes en este organismo y en la producción petrolera (Irán ocupa el cuarto puesto mundial con el 5,3 % del petróleo producido; Iraq, obligado a una producción restringida, representa, sin embargo, el 3,3 %, y Kuwayt el 2,8 %), así como la importancia de sus reservas convierten al petróleo en una temible arma económica y política. Pero los países musulmanes han ido perdiendo progresivamente su control debido a la competencia de los mercados y a la política norteamericana de almacenamiento.

La imposible unidad del mundo musulmán

En definitiva, aunque los proyectos norteamericanos en Iraq pueden provocar críticas airadas en la opinión pública musulmana y, sobre todo, árabe, las persistentes rivalidades entre estados musulmanes ofrecen un amplio margen de maniobra a Estados Unidos debido a la inexistencia de una «diplomacia musulmana» que pueda definir ejes comunes y proyectos alternativos. El Irán del ayatollah Jomeini realizó un intento en este sentido pero, en la actualidad,

Octava cumbre islámica en 1997, celebrada en Teherán (Irán). La presencia del presidente de Mozambique, Joaquim Chissano, puso de relieve la creciente atracción de los estados musulmanes en su periferia.

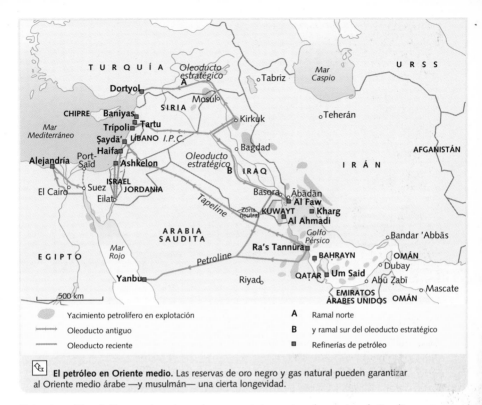

El petróleo en Oriente medio. Las reservas de oro negro y gas natural pueden garantizar al Oriente medio árabe —y musulmán— una cierta longevidad.

Teherán está prácticamente solo en la escena internacional y regional. Su alianza coyuntural con Rusia y la pequeña Armenia cristiana, debido a una oposición tradicional con Turquía y su «primo», Azerbaiján, a pesar de ser chiita como ella, pone de manifiesto este aislamiento y los límites de una solidaridad en materia de diplomacia basada en el Corán. La Liga árabe y, en mayor medida, la Organización de la conferencia islámica (O.C.I.), que aglutinan al conjunto de los países musulmanes, no son capaces de elaborar acciones conjuntas.

La diversidad de las realidades geopolíticas a las que se enfrenta el mundo musulmán, del Sureste asiático al Magreb, del África subsahariana a Asia central, pasando por Oriente medio, hace que sea prácticamente imposible conseguirlo. ¿Qué denominador común tienen, por ejemplo, Turquía e Indonesia? La primera es una controvertida candidata a una Unión europea a la que se ve empujada por sus aliados norteamericanos, interesados en diluir en el marco común europeo una identidad musulmana reavivada por la llegada al poder, en noviembre de 2002, de un gobierno islamista «moderado». Indonesia, una potencia asiática junto al Pacífico, ha redescubierto en la violencia (atentado de Kuta Beach, en Bali, el 12 de octubre de

El difícil reto de la globalización **109**

Atentado en Kuta Beach, Denpasar (isla de Bali, Indonesia). El atentado cometido con un vehículo bomba, que causó 184 muertos entre los clientes de un bar, fue perpetrado el 12 de octubre de 2002 por indonesios vinculados a Al-Qaeda. La mayoría de las víctimas fueron turistas australianos.

2002 con un total de 184 muertos, la mitad de los cuales eran australianos) una identidad musulmana que se creía superada por el milagro económico asiático. ¿Qué puntos en común pueden tener la rica Arabia Saudí y los países musulmanes pobres de África, como Sudán o Nigeria? En realidad, pocas cosas, al margen de la constatación de una impotencia política, porque, aunque es cierto que el mundo musulmán no es la suma de los países que lo componen, este sentimiento de frustración se manifiesta en todas las sociedades musulmanas. Reservado en su origen a las potencias nucleares, el Consejo de seguridad permanente de Naciones unidas sigue sin contar con ningún miembro musulmán, aunque Pakistán, desde 1990, dispone de armas nucleares, lo que ha provocado la condena de la comunidad internacional.

Pakistán no pretende convertirse en un líder del mundo musulmán, aun siendo la primera potencia nuclear musulmana y la última, si se tienen en cuenta los esfuerzos de los norteamericanos para impedir que Iraq obstaculice sus planes y procurar que Irán renuncie a un eventual proyecto en este sentido. Por otra parte, su programa nuclear está orientado esencialmente a luchar contra su rival indio, que también dispone de armamento nuclear. En la primavera de 2002, esta carrera de armamento nuclear fue justificada por ambas partes con el argumento de la disuasión. Asimismo, estas dos potencias, involucradas en un conflicto sobre todo respecto a la cuestión de Cachemira, se hallaban al borde una importante conflagración que sólo pudo evitarse gracias a las presiones de la comunidad internacional, lo que confirmó que la región constituye un foco de tensión. No obstante, la ligereza con la que los protagonistas

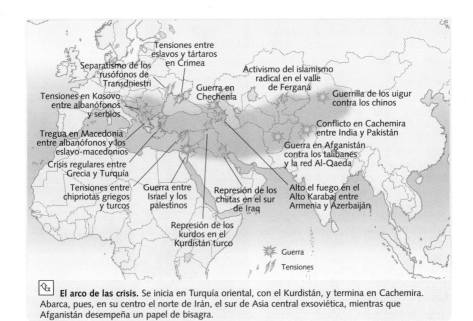

El arco de las crisis. Se inicia en Turquía oriental, con el Kurdistán, y termina en Cachemira. Abarca, pues, en su centro el norte de Irán, el sur de Asia central exsoviética, mientras que Afganistán desempeña un papel de bisagra.

Las etiquetas del mapa:

- Separatismo de los rusófonos de Transdniestri
- Tensiones entre eslavos y tártaros en Crimea
- Tensiones en Kosovo entre albanófonos y serbios
- Guerra en Chechenia
- Activismo del islamismo radical en el valle de Fergana
- Guerrilla de los uigur contra los chinos
- Tregua en Macedonia entre albanófonos y los eslavo-macedonios
- Conflicto en Cachemira entre India y Pakistán
- Crisis regulares entre Grecia y Turquía
- Guerra en Afganistán contra los talibanes y la red Al-Qaeda
- Tensiones entre chipriotas griegos y turcos
- Guerra entre Israel y los palestinos
- Represión de los chiitas en el sur de Iraq
- Alto el fuego en el Alto Karabaj entre Armenia y Azerbaiján
- Represión de los kurdos en el Kurdistán turco
- Guerra
- Tensiones

del conflicto utilizaron la amenaza nuclear, sobre todo Pakistán que, sin embargo, por aquel entonces ya estaba resueltamente alineado con Estados Unidos, reforzó el argumento de una inmadurez política incompatible con la posesión de armamento nuclear por parte de éstos y otros países musulmanes interesados en disponer del mismo. Pero, en los países musulmanes, se critica la cuestión lancinante, del derecho de Israel a poseer armamento nuclear, sin que esto provoque ningún temor en sus aliados norteamericanos. Otra fuente de frustraciones se debe al hecho de que el mundo musulmán posee una buena parte de las riquezas, sobre todo petroleras, del planeta, mientras que la mayor parte de los musulmanes no sacan ningún provecho de ello y un número considerable de los habitantes de estos países vive en la miseria. En el mundo musulmán, todos estos factores alimentan la conciencia difusa de pertenecer a una comunidad unida por los mismos reproches, cuyos principales blancos son los norteamericanos, en mayor medida que los gobiernos autoritarios y corruptos a los que nadie se atreve a criticar abiertamente. La comunidad original de los musulmanes, la umma, parece, pues, haber evolucionado hacia una «opinión musulmana» debido a la globalización y a la modernización en la difusión de la información que ha creado. El mundo musulmán se siente mucho más cercano a esta opinión pública que a un hipotético conjunto político, a diferencia de Occidente, impresionado por las tendencias internacionalistas del islamismo. El problema es que esta opinión pública tiende a constituirse a partir de un rechazo de Occidente y como reacción a una suma de frustraciones y rencores del que éste es responsable. Se trata de un sentimiento agudizado por el hecho de que los regímenes que están en el poder en los países musulmanes, en general, no permiten la libertad de expresión. La coyuntura internacional creada a partir del 11 de septiembre de 2001 no debería contribuir en ese sentido a implantar en estos países el deseo de democracia que Washington pretende instaurar. La terminología militar que utiliza sistemáticamente Estados Unidos en la definición de sus relaciones con el mundo musulmán, cuyas diferentes regiones constituyen otros tantos «frentes» de la guerra contra el terrorismo —por ejemplo, el Sureste asiático que, en 2002, fue definido como el «segundo frente»— y el maniqueísmo de una retórica que hace referencia a un «eje del mal» provocan en muchos musulmanes un resurgimiento del espíritu de las cruzadas. Estados Unidos, al apoyar tácticamente a unos regímenes muy cuestionables con el único objetivo de canalizar la oleada islamista, ha contribuido, por otra parte, a reforzar la desconfianza de la opinión pública musulmana. Ha ganado terreno la idea de que los conceptos de democracia y el respeto de los derechos humanos, de los que en realidad se hace un uso selectivo, quizá sean váli-

Primer discurso oficial de George W. Bush, tras los atentados del 11 de septiembre de 2001. El 20 de septiembre, el presidente de Estados Unidos declara la guerra al terrorismo internacional ante las dos cámaras reunidas en el Capitolio de Washington.

dos para Occidente pero no se puede pretender que sean universales. Así como tampoco se debe considerar que los valores y principios propios y útiles en el mundo musulmán sólo puedan encontrarse en la lectura del Corán. Esta posición es difícilmente sostenible en un mundo globalizado, en el que el islam no puede evitar una «reforma», como ocurrió en su momento con el cristianismo. Pero los países occidentales y, sobre todo, Estados Unidos, deberían tenerlo en cuenta si no quieren correr el riesgo de reforzar la hipótesis de un choque de civilizaciones y también de sus partidarios. La impopularidad de los norteamericanos en los países musulmanes más estrechamente vinculados a ellos quedó reflejada en una amplia encuesta realizada en diciembre de 2002 a petición de la ex-secretaria de Estado norteamericana, Madeleine Albright.

Los países musulmanes

El de mayor población: Indonesia (215,6 millones de habitantes)
El que tiene el P.N.B. más elevado: Turquía (202 miles de millones de $)
El de mayor riqueza por habitante: Brunei (24 000 $/hab.)
El de menor riqueza por habitante: Sierra Leona (130 $/hab.)
El de mayor presupuesto militar en relación con el P.I.B.: Qatar y Arabia Saudí (10,9 %)
El que tiene el índice más elevado de fecundidad: Níger (7,1)
El que tiene el índice más bajo de fecundidad: Azerbaiján (2)

AFGANISTÁN
Capital: Kabul
Superficie: 650 000 km^2
Número de habitantes: 22 474 000
PNB/hab.: s.d.
Presupuesto militar: s.d.

ALBANIA
Capital: Tirana
Superficie: 28 700 km^2
Número de habitantes: 3 145 000
P.N.B./hab.: 930 $
Presupuesto militar: 3 % del P.I.B.

ARGELIA
Capital: Argel
Superficie: 2 380 000 km^2
Número de habitantes: 30 841 000
P.N.B./hab.: 1 580 $
Presupuesto militar: 3,8 % del P.I.B.

ARABIA SAUDÍ
Capital: Riyād
Superficie: 2 150 000 km^2
Número de habitantes: 21 028 000
P.N.B./hab.: 7 230 $
Presupuesto militar: 10,9 % del P.I.B.

AZERBAIJÁN
Capital: Bakú
Superficie: 87 000 km^2
Número de habitantes: 8 096 000
P.N.B./hab.: 600 $
Presupuesto militar: 2,8 % del P.I.B.

BAHRAYN
Capital: Manama
Superficie: 660 km^2
Número de habitantes: 652 000
P.N.B./hab.: 7 840 $
Presupuesto militar: 4,8 % del P.I.B.

BANGLA DESH
Capital: Dhākā
Superficie: 143 000 km^2
Número de habitantes: 140 369 000
P.N.B./hab.: 370 $
Presupuesto militar: 1,8 % del P.I.B.

BOSNIA-HERZEGOVINA
Capital: Sarajevo
Superficie: 51 100 km^2
Número de habitantes: 4 067 000
P.N.B./hab.: 1 210 $
Presupuesto militar: 3,7 % del P.I.B.

BRUNEI
Capital: Bandar Seri Begawan
Superficie: 5 760 km^2
Número de habitantes: 344 000
P.N.B./hab.: 24 000 $
Presupuesto militar: 5,8 % del P.I.B.

BURKINA FASO
Capital: Ouagadougou
Superficie: 274 000 km^2
Número de habitantes: 11 856 000
P.N.B./hab.: 240 $
Presupuesto militar: 1,8 % del P.I.B.

CHAD
Capital: N'Djamena
Superficie: 1 284 000 km^2
Número de habitantes: 8 135 000
P.N.B./hab.: 210 $
Presupuesto militar: 3 % del P.I.B.

COMORAS
Capital: Moroni
Superficie: 1 900 km^2
Número de habitantes: 716 000
P.N.B./hab.: 350 $
Presupuesto militar: s.d.

COSTA DE MARFIL
Capital: Yamoussoukro
Superficie: 322 000 km²
Número de habitantes: 15 126 000
P.N.B./hab.: 670 $
Presupuesto militar: 0,9 % del P.I.B.

DJIBOUTI
Capital: Djibouti
Superficie: 23 000 km²
Número de habitantes: 644 000
P.N.B./hab.: s.d.
Presupuesto militar: 5,1 % del P.I.B.

EGIPTO
Capital: El Cairo
Superficie: 1 000 000 km²
Número de habitantes: 69 080 000
P.N.B./hab.: 1 490 $
Presupuesto militar: 1,4 % del P.I.B.

EMIRATOS ÁRABES UNIDOS
Capital: Abū Ẓabī
Superficie: 80 000 km²
Número de habitantes: 2 654 000
P.N.B./hab.: 17 390 $
Presupuesto militar: 8,0 % del P.I.B.

ERITREA
Capital: Asmara
Superficie: 117 000 km²
Número de habitantes: 3 990 000
P.N.B./hab.: s.d.
Presupuesto militar: s.d.

GAMBIA
Capital: Banjul
Superficie: 11 300 km²
Número de habitantes: 1 337 000
P.N.B./hab.: 330 $
Presupuesto militar: 3,2 % del P.I.B.

GUINEA
Capital: Conakry
Superficie: 250 000 km²
Número de habitantes: 7 497 000
P.N.B./hab.: 490 $
Presupuesto militar: 1,5 % del P.I.B.

GUINEA-BISSAU
Capital: Bissau
Superficie: 36 100 km²
Número de habitantes: 1 320 000
P.N.B./hab.: 850 $
Presupuesto militar: 1,6 % del P.I.B.

INDONESIA
Capital: Yakarta
Superficie: 1 900 000 km²
Número de habitantes: 215 590 000
P.N.B./hab.: 570 $
Presupuesto militar: 0,9 % del P.I.B.

IRÁN
Capital: Teherán
Superficie: 1 650 000 km²
Número de habitantes: 71 369 000
P.N.B./hab.: 1 680 $
Presupuesto militar: 3,0 % del P.I.B.

IRAQ
Capital: Bagdad
Superficie: 434 000 km²
Número de habitantes: 23 584 000
P.N.B./hab.: s.d.
Presupuesto militar: s.d.

JORDANIA
Capital: 'Ammān
Superficie: 92 000 km²
Número de habitantes: 5 051 000
P.N.B./hab.: 1 710 $
Presupuesto militar: 5,3 % del P.I.B.

KAZAJSTÁN
Capital: Astana
Superficie: 2 717 000 km²
Número de habitantes: 14 842 000
P.N.B./hab.: 1 250 $
Presupuesto militar: 2 % del P.I.B.

KIRGUIZISTÁN
Capital: Bishkek
Superficie: 199 000 km²
Número de habitantes: 4 986 000
P.N.B./hab.: 270 $
Presupuesto militar: 1,6 % del P.I.B.

KUWAYT
Capital: Kuwayt City
Superficie: 17 800 km²
Número de habitantes: 1 971 000
P.N.B./hab.: 18 030 $
Presupuesto militar: 10,6 % del P.I.B.

LÍBANO
Capital: Beirut
Superficie: 10 400 km²
Número de habitantes: 3 556 000
P.N.B./hab.: 4 010 $
Presupuesto militar: 3,6 % del P.I.B.

LIBIA
Capital: Trípoli
Superficie: 1 760 000 km²
Número de habitantes: 5 408 000
P.N.B./hab.: s.d.
Presupuesto militar: 1,9 % del P.I.B.

MALAYSIA
Capital: Kuala Lampur
Superficie: 330 000 km²
Número de habitantes: 22 633 000
P.N.B./hab.: 3 380 $
Presupuesto militar: 2 % del P.I.B.

MALDIVAS
Capital: Malé
Superficie: 298 km²
Número de habitantes: 276 000
P.N.B./hab.: 1 200 $
Presupuesto militar: 9,5 % del P.I.B.

MALI
Capital: Bamako
Superficie: 1 240 000 km²
Número de habitantes: 11 677 000
P.N.B./hab.: 240 $
Presupuesto militar: 1,6. % del P.I.B.

MARRUECOS
Capital: Rabat
Superficie: 710 000 km²
Número de habitantes: 30 430 000
P.N.B./hab.: 1 180 $
Presupuesto militar: 4,0 % del P.I.B.

MAURITANIA
Capital: Nouakchott
Superficie: 1 080 000 km²
Número de habitantes: 2 747 000
P.N.B./hab.: 370 $
Presupuesto militar: 2,6 % del P.I.B.

NÍGER
Capital: Niamey
Superficie: 1 267 000 km²
Número de habitantes: 11 227 000
P.N.B./hab.: 180 $
Presupuesto militar: 1,3 % del P.I.B.

NIGERIA
Capital: Abuja
Superficie: 924 000 km²
Número de habitantes: 116 929 000
P.N.B./hab.: 260 $
Presupuesto militar: 1,2 % del P.I.B.

OMÁN
Capital: Mascate
Superficie: 212 000 km²
Número de habitantes: 2 626 000
P.N.B./hab.: 4 950 $
Presupuesto militar: 11,9 % del P.I.B.

PAKISTÁN
Capital: Islāmābād
Superficie: 803 000 km²
Número de habitantes: 144 971 000
P.N.B./hab.: 440 $
Presupuesto militar: 5,1 % del P.I.B.

QATAR
Capital: Duḥā
Superficie: 11 400 km²
Número de habitantes: 575 000
P.N.B./hab.: 11 590 $
Presupuesto militar: 10,9 % del P.I.B.

SENEGAL
Capital: Dakar
Superficie: 197 000 km²
Número de habitantes: 9 662 000
P.N.B./hab.: 490 $
Presupuesto militar: 1,4 % del P.I.B.

SIERRA LEONA
Capital: Freetown
Superficie: 71 700 km²
Número de habitantes: 5 000 000
P.N.B./hab.: 130 $
Presupuesto militar: 1,2 % del P.I.B.

SIRIA
Capital: Damasco
Superficie: 185 000 km²
Número de habitantes: 16 610 000
P.N.B./hab.: 940 $
Presupuesto militar: 8,3 % del P.I.B.

SOMALIA
Capital: Mogadiscio
Superficie: 638 000 km²
Número de habitantes: 10 097 000
P.N.B./hab.: s.d.
Presupuesto militar: s.d.

SUDÁN
Capital: Jarṭūm
Superficie: 2 506 000
Número de habitantes: 29 490 000
P.N.B./hab.: 310 $
Presupuesto militar: 3,1 % del P.I.B.

TADHIKISTÁN
  Capital: Dushanbe
  Superficie: 143 000 km²
  Número de habitantes: 6 135 000
  P.N.B./hab.: 180 $
  Presupuesto militar: s.d.
TÚNEZ
  Capital: Túnez
  Superficie: 164 000 km²
  Número de habitantes: 9 562 000
  P.N.B./hab.: 2 100 $
  Presupuesto militar: 1,7 % del P.I.B.
TURKMENISTÁN
  Capital: Ashjabat
  Superficie: 488 000 km²
  Número de habitantes: 4 835 000
  P.N.B./hab.: 750 $
  Presupuesto militar: 0,4 % del P.I.B.

TURQUÍA
  Capital: Ankara
  Superficie: 780 000 km²
  Número de habitantes: 67 632 000
  P.N.B./hab.: 3 100 $
  Presupuesto militar: 1,4 % del P.I.B.
UZBEKISTÁN
  Capital: Tashkent
  Superficie: 447 000 km²
  Número de habitantes: 25 257 000
  P.N.B./hab.: 360 $
  Presupuesto militar: 0,8 % del P.I.B.
YEMEN
  Capital: San'ā'
  Superficie: 485 000 km²
  Número de habitantes: 19 114 000
  P.N.B./hab.: 370 $
  Presupuesto militar: 6,5 % del P.I.B.

La fecundidad en los países musulmanes

	1981	2001		1981	2001
Azerbaiján	3,1	2,0	Libia	7,4	3,9
Turkmenistán	4,8	2,2	Qatar	7,2	3,9
Túnez	5,0	2,3	Siria	7,2	4,1
Kirghizistán	4,1	2,4	Kuwayt	7,0	4,2
Tadjikistán	5,6	2,4	Sudán	6,6	4,9
Líbano	4,7	2,5	Iraq	7,0	5,3
Turquía	4,3	2,5	Pakistán	6,3	5,6
Irán	5,3	2,6	Arabia Saudí	7,2	5,7
Indonesia	4,1	2,7	Senegal	6,5	5,7
Uzbekistán	4,8	2,7	Nigeria	6,9	5,8
Bahrayn	7,4	2,8	Palestina	6,9	5,9
Algeria	7,3	3,1	Afganistán	6,9	6,0
Malaisia	4,4	3,2	Mauritania	6,9	6,0
Bangla Desh	6,3	3,3	Omán	7,2	6,1
Marruecos	6,9	3,4	Mali	6,7	7,0
Egipto	5,3	3,5	Yemen	7,0	7,2
Emiratos Árabes Unidos	7,2	3,5	Somalia	6,1	7,3
Jordania	4,3	3,6	Níger	7,1	7,5

Índice de fecundidad, número de hijos por mujer.
Fuente: Population et sociétés, sept. 1981 y julio-agosto 2001, nᵒˢ 151 y 370, INED.

Cronología

570-571 Año considerado tradicionalmente como el del nacimiento del profeta Mahoma, del clan hachemita de la tribu de los koraichíes.

622 Hégira, «migración» del Profeta a Yathrib (la futura Medina).

632 Muerte del Profeta en Medina, que se convirtió en la sede del primer califato.

638 Los musulmanes toman Jerusalén.

661-750 Segunda ola de expansión, bajo los omeyas, de Asia Central y del valle del Indo (India) a los Pirineos.

670 Fundación de Kairuán (en el actual Túnez, ciudad base para la lenta islamización del Magreb.

711 El bereber Ṭāriq ibn Ziyād invade la península Ibérica, siguiendo órdenes del general árabe Mūsà ibn Nuṣayr.

732 Carlos Martel detiene el avance de las vanguardias árabe-bereberes entre Poitiers y Tours.

762 Bagdad, fundada por los abasíes, se convierte en la capital del imperio musulmán.

813-h.833 Durante el califato de al-Ma'mun se produce una eclosión intelectual y científica; se traducen al árabe las grandes obras de los patrimonios culturales griego y helenístico, persa e indio. Fundación de grandes bibliotecas en Bagdad y en todo el imperio musulmán.

s. IX-X Difusión del islam en África occidental, sobre todo por parte de los bereberes, que utilizan las rutas de las caravanas de oro y esclavos.

1099 La toma de Jerusalén por los cruzados señala el inicio de casi dos siglos de presencia europea en Próximo oriente.

1171 Saladino se hace con el control de Egipto y funda la dinastía ayubí, después de destronar a los fatimíes.

1187 La «guerra santa» encabezada por Saladino reconquista Jerusalén, que estaba en manos de los cruzados.

s. XI-XV Inicio de la islamización, acompañada de una profunda turquización étnico-lingüística, en los oasis uigur de Xinjiang en China.

s. XIII Con la creación del sultanato de Delhi se inicia la presencia definitiva en la India de un islam conquistador y proselistista.

s. XIII Implantación de los primeros pequeños estados musulmanes en el norte de Sumatra (la actual Indonesia).

s. XIII-XIV Tombouctou y Yenné (actual Malí) son las dos metrópolis musulmanas claves del Sudán occidental en el comercio entre el valle del Nilo y el África occidental.

1354-1396 Los otomanos inician la conquista y la islamización de los Balcanes.

1453 Los turcos otomanos toman Bizancio, a la que dan el nombre de Istanbul.

1492 Los Reyes Católicos conquistan el reino de Granada, último vestigio del poder islámico en la península Ibérica.

1516-1517 Los turcos otomanos conquistan el Próximo oriente árabe.

1526 El timurí Babur crea la dinastía de los mogoles en la India.

1552 El zar Iván II, el Terrible, conquista Kazán, en poder de los tártaros, y mata a toda la población, y Astraján, una ciudad estratégica, donde el Volga desemboca en el mar Caspio.

s. XVI Apogeo del poder y de la civilización otomanos durante los 45 años del reinado de Solimán el Magnífico. En el momento de su mayor expansión, el imperio se extiende de los Balcanes hasta las fronteras de Marruecos, Próximo oriente —incluidas las regiones costeras de Arabia y Yemen— Azerbaiján y una parte del Cáucaso.

1526-1858 Dinastía mogol en la India, un período fastuoso durante el reinado de los seis primeros emperadores, los «Grandes Mogoles», que unifican casi por completo el subcontinente indio por primera vez desde la época del gran emperador budista Ashoka (s. III a. J.C.).

1588-1626 Apogeo de Persia bajo el sha sefewí Abbas el Grande, quien refuerza el chiismo frente a los otomanos, que preconizan el sunnismo.

s. XVII El rigorista sultanato de Aceh (Sumatra) pasa por un período de prosperidad aunque los holandeses se adueñan de Java. Los uigur del Xinjiang chino se convierten, en su gran mayoría, al islam, bajo la dirección de hombres religiosos. Pedro el Grande de Rusia invade el Cáucaso.

1677, 1710-1711, 1806-1812, 1828-1829 Guerras ruso-otomanas.

1699 Tratado de Karlowitz: primer gran derrota de los otomanos, que ceden Hungría a Austria, Ucrania a Polonia y la Morea griega a Venecia.

s. XVIII En África, tráfico de esclavos entre la costa swahili y Egipto, a través de Sudán, con destino al mundo musulmán.

1858 En la India, los ocupantes británicos acaban con la exangüe dinastía mogol después de la «rebelión de los cipayes» (1857).

1865-1873 En Asia central, Tashkent se convierte en la capital del Turkestán ruso, y los rusos, entre 1868 y 1873, conquistan los kanatos (principados) de Samarcanda, Bujará, Kokand y Jiva.

1838-1842 y **1878-1879** Guerras anglo-afganas, la primera de las cuales la ganan los afganos.

1881-1882 La rebelión del oficial nacionalista egipcio Arabi Bajá sirve de pretexto a Inglaterra para ocupar Egipto.

s. XIX-principios del XX Desmantelamiento del Imperio otomano. En 1830, Grecia se independiza y Francia se anexiona Argelia y más tarde (1881) Túnez, mientras que los británicos ocupan Egipto en 1882. Los pueblos balcánicos, apoyados militarmente por los austríacos y el paneslavismo ruso, consiguen liberarse, y en 1912-1913 la Turquía europea se reduce a la Tracia oriental.

1904 La conferencia de Algeciras abre el camino al protectorado francés sobre Marruecos, que hasta entonces era independiente.

1907-1908 Inicio del movimiento de los Jóvenes turcos; su opción en favor de los imperios centrales les condujo a la derrota.

1911-1912 Los italianos anexionan la Tripolitana (Libia).

1916 Acuerdo (secreto) Sykes-Picot para repartir las regiones árabes del Imperio otomano entre Francia e Inglaterra.

1917 Declaración Balfour que promete la creación de un «territorio judío» en Palestina.

s. XIX-principios del XX Movimiento intelectual y modernista del reformismo musulmán (la Turquía otomana, Egipto, el Próximo oriente árabe, Crimea, Asia central, Indonesia y el Magreb).

1921-1925 Golpe de estado en Teherán, a instigación de los británicos. Reza Kan, un oficial de la brigada cosaca persa, se convierte en ministro de la Guerra, derroca la dinastía de los kajar (1925) y crea su propia dinastía, los pahlawi.

1922, 1924, 1926 y 1928 Mustafá Kemal, líder de la Turquía moderna y republicana, decreta la abolición del sultanato y del califato, y en 1926 promulga un código civil laico. En 1928 proclama a Turquía «Estado laico», el primero y hasta el momento el único en el mundo musulmán. Por último, concede el derecho de voto a las mujeres en 1934, once años antes que en Francia.

1920-1930 En Asia central, los comunistas cierran o destruyen todas las mezquitas e instituciones musulmanas.

1928 En Egipto, Hassan el-Banna (1906-1949), asesinado durante el reinado del rey Faruk, crea el primer movimiento político-religioso del mundo árabe, conocido como los Hermanos musulmanes.

1932 Creación del reino de Arabia Saudí, basado en el fundamentalismo wahhabita.

1935 Reza Kan cambia el nombre del país, Persia, por el de imperio de Irán, que tiene más en cuenta a los diferentes pueblos que lo habitan.

1947 Separación entre la India y Pakistán.

1948 Creación de Israel y primera guerra árabe-israelí.

1952 Golpe de estado de los «oficiales libres» de Nasser y abolición de la monarquía egipcia.

1956 Independencia de Marruecos.

1962 Independencia de Argelia.

1967 Tercera guerra árabe-israelí, llamada de los Seis Días. Declaración 242 de la O.N.U., que obliga a las tropas de Tel-Aviv a retirarse de los territorios ocupados.

1973 El rey Ẕāher, sha de Afganistán, es destronado por un miembro de su entorno, como preludio de la instauración de un régimen procomunista.

1973 Cuarta guerra árabe-israelí, llamada del Kippur.

1973-1974 Primera crisis del petróleo.

1975-1990 Guerra civil en Líbano.

1979 Revolución islámica en Irán dirigida por el clero chiita.

1979-1989 Las tropas soviéticas invaden Afganistán y se inicia una guerra que dura diez años. Poderosas guerrillas financiadas por Estados Unidos, Pakistán, Arabia Saudí y los estados del Golfo. Finalmente los rusos deben retirarse tras su primera derrota frente a los musulmanes desde Iván el Terrible, cuatro siglos antes.

1980-1988 Guerra entre Irán e Iraq (1,2 millones de muertos).

1990-1991 Guerra del Golfo llevada a cabo por una coalición internacional encabezada por Estados Unidos después de que los ejércitos del presidente iraquí, Saddam, Hussein invadieran Kuwayt.

1992-1995 Guerra civil en Bosnia-Herzegovina.

1993 Acuerdo de paz entre Israel y la Organización para la liberación de Palestina y creación de la Autoridad nacional palestina. Se detiene la intifada (insurrección popular palestina) iniciada en 1987, que se reanuda en 2000, ante el fracaso del proceso de paz.

1998 Los talibanes controlan las dos terceras partes de Afganistán.

1999 Guerra de Kosovo en los Balcanes.

1988-2000 Doce años de enfrentamientos bélicos en el Cáucaso, manipulados más o menos directamente por Moscú.

11 de septiembre de 2001 Atentados terroristas por radicales islámicos en Nueva York y Washington. Intervención de los norteamericanos en Afganistán que, dos meses más tarde, acaban con el régimen de los talibanes.

2003 Estados Unidos, con el apoyo de Gran Bretaña, declara la guerra a Iraq y lanza un ataque que supone la caída del régimen de Saddam Hussein.

Las mujeres en tierras del islam

El paraíso islámico promete a los escogidos del sexo masculino disponer de vírgenes hasta la saciedad, pero es mucho más vago respecto a las delicias de que gozarán las mujeres escogidas. Incluso en la mezquita, las mujeres se ven reducidas a un segundo plano, puesto que están confinadas en unos lugares reservados para ellas, y no pueden participar en el rezo de los viernes. El porte del velo —con su corolario, el gineceo (*harem*)— y las modalidades del matrimonio proporcionan algunos indicios sobre la condición de las mujeres en el mundo musulmán. Sin embargo, a finales del siglo XIX se inició una evolución en su estatuto gracias a los reformistas, en Egipto, India e Indonesia —donde la mujer desempeña un papel particularmente reconocido— que se incrementó, a principios del siglo XX, en la Turquía laica de Mustafá Kermal.

Actualmente, las feministas luchan por la legitimación de su revuelta remitiéndose al Corán y a la *sunna* (la «costumbre»), pero este planteamiento, esencialmente urbano y propio de los círculos que han tenido acceso a la educación, es violentamente rechazado por los integristas y otros islamistas que preconizan la estricta aplicación de la *šarī'a*. Éste es el caso, principalmente, de Arabia Saudí, Pakistán y Afganistán, mientras que en el actual Irán rigen unos principios menos rígidos y más modernos.

Según un *hadiz* («tradición») atribuida al Profeta, el matrimonio —preferentemente fecundo— constituye «la mitad de la religión», puesto que el Corán precisa que «vuestras mujeres son como un campo de labor». De forma general, la *sunna* considera «innoble» el celibato, pero en las mujeres, en particular, se califica de vergonzoso o como una incitación a la depravación. En teoría, a la creyente se la considera igual que al creyente, pero su situación la relega, en la práctica, a un estatuto de menor, que pasa de la tutela de su familia a la de su marido (y a la de la familia de éste). Aunque normalmente se requiere el consentimiento de la futura esposa ante un notario o un cadí (juez), una joven núbil puede ser «representada» por un «tutor» varón de su familia.

Alentada por el Corán, la poligamia —que permite tres esposas suplementarias, sin incluir a las concubinas— refuerza aún más el riesgo de que una mujer pueda ser repudiada unilateralmente y sin apelación con sólo una solicitud del marido que, en general, consigue la custodia de los hijos de la pareja cuando éstos cumplen siete años. Sin embargo, el divorcio «civil» por iniciativa de la mujer se ha ido introduciendo progresivamente en los estados musulmanes modernos a partir del modelo turco (Egipto, Marruecos, Argelia, Indonesia, el Irán «islámico»). Túnez, pionero en la materia, siguió los pasos de Mustafá Kermal y en 1956 prohibió la poligamia, bajo la presidencia de Burguiba). En el ámbito jurídico, las mujeres pueden gestionar sus bienes, pero la desigualdad es evidente en cuanto al testimonio —la palabra de una mujer vale la mitad que la de un hombre— y la herencia, ya que la parte que corresponde a la mujer es la mitad que la del varón. Por último, una cristiana o una judía —las «gentes del Libro» están «protegidas» en los países islámicos— puede casarse con un musulmán sin estar obligada a convertirse, pero si tiene hijos, éstos serán automáticamente musulmanes. Para las mujeres de otras confesiones, la conversión al islam es obligatoria, al igual que para los hombres no musulmanes que quieran casarse con una musulmana.

El velo, una segregación en tela de juicio

El Corán exhorta a las esposas del Profeta a llevar el velo, y a las mujeres en general a «mostrarse» únicamente a sus parientes varones más próximos: padre, marido y hermanos. En público deben cubrirse el cuerpo, el cuello, el cabello e incluso los brazos. Pero no existe ninguna legislación que las obligue explícitamente a cubrirse totalmente. El velo se generalizó de entrada entre las mujeres de las ciudades —a partir de la dinastía abasida (siglos VIII-XIII)— mientras que las campesinas llevan un simple pañuelo, como ocurre prácticamente en todo el mundo. En efecto, el velo facial no forma parte de las costumbres locales entre los nómadas y los bereberes, ni en África ni en el Sur y el Sureste asiático. Más tarde, las mujeres piadosas se lo ponían voluntariamente porque, en una sociedad en la que la segregación de las mujeres es de recibo tanto en público como en privado —es decir, en el *harem* de las viviendas tradicionales— muchos hombres, debido a la presión social e islamista, están a favor del porte por lo menos del *ḥiŷab*, que enmarca el rostro y el cabello (en Irán es obligatorio).

Además del simple «*ḥiŷab*», existen diversas versiones del velo. En público, las iraníes deben llevar además el «chador», un velo negro que cubre todo el cuerpo, como las capas de los mullahs o una especie de gabardina amplia de color oscuro que oculta las formas y cuyo uso se ha extendido en Oriente medio (pero no así en el Magreb). En cuanto a las afganas, las pakistaníes y las beduinas (del golfo Arabe-Pérsico), deben llevar el «burka» (barrera) que las cubre totalmente, con una abertura enrejada a la altura de los ojos.

Sin embargo, para un número nada desdeñable de mujeres, el «*ḥiŷab*» constituye una expresión de modernidad —y una garantía de anonimato— porque en la práctica les permite salir, trabajar, en una palabra, imponerse en el espacio público confiscado por los hombres. También es una forma —como reiteran muchas de ellas— de afirmar su respetabilidad ante los frecuentes insultos de estos últimos. Una reivindicación de decencia que incluso puede traducir una crítica de la visión considerada «degradante» de las mujeres occidentales —y no sólo en el cine.

Sin embargo, en los últimos años, ha surgido un «feminismo islámico» en algunos países musulmanes —en el Magreb, Próximo oriente y Asia— que está de acuerdo en que las mujeres participen en la escena pública, enfrentándose al machismo de los religiosos y de los militantes de sus propios movimientos. Este planteamiento incluso se considera a menudo como un resorte que permite que las mujeres tengan acceso a un lugar en la sociedad y a puestos de responsabilidad en la administración pública, la universidad, las empresas y, ante todo, en sus propias formaciones políticas y asociativas. Como observa Gilles Kepel, en estos espacios de poder es, probablemente, donde se elabora hoy la «democracia musulmana» de mañana.

Abluciones

Los musulmanes deben realizar tres tipos de abluciones para cumplir con sus deberes religiosos. La ablución mayor supone lavarse todo el cuerpo para limpiarlo de las impurezas propias de las relaciones sexuales, pérdidas de sangre importantes o el contacto con un cadáver. Este tipo de ablución se realiza, en general, cuando se produce una conversión al islam, cuando se reviste el lienzo que consagra el peregrinaje a La Meca o bien para entrar en un mezquita o tocar el Corán. La ablución menor limpia las impurezas propias de las funciones corporales o las pequeñas pérdidas de sangre; debe lavarse la cara, las manos y los pies antes del rezo. Se admite un tercer tipo de ablución con arena o una piedra, cuando no se dispone de agua.

Šarī'a

Se trata del «camino recto prescrito» (por Alá) que engloba la totalidad de los mandamientos de Dios, tal como están enunciados y prescritos en el Corán y en las Tradiciones: prohibiciones islámicas relativas al conjunto de actividades de las personas en sociedad y bases del derecho penal, civil y comercial. La parte propiamente jurídica fue elaborada por las cuatro escuelas jurídicas sunníes. Puesto que el islam es una religión eminentemente social, cualquier actividad humana, en teoría, debe enmarcarse en las cuatro categorías predefinidas, que van de lo estrictamente «prohibido» a lo permitido, pasando por lo que está «recomendado» y «no prohibido pero desaconsejado».

Circuncisión

Práctica que realizan barberos o cirujanos entre el séptimo día y los 13 años (según las regiones y las cirscunstancias) que simboliza la entrada del niño en la edad adulta. Esta práctica se celebra con una gran fiesta y muchos regalos. El equivalente simbólico en las mujeres es la excisión, cuya práctica está muy extendida en África y algo menos en Egipto. Esta mutilación no la recomienda el islam; el propio Profeta la condenó. Por tanto, los ulemas que la prescriben se basan en textos religiosos de dudosa autenticidad.

Prohibiciones alimentarias

Por lo menos 24 versículos del Corán contienen prescripciones alimentarias, algunas de las cuales están directamente inspiradas por las prohibiciones de la Ley judía (Génesis, IX, 4). Éstas se refieren a la carne de cerdo, impura por excelencia según el Corán, la carne de jabalí, de lobo, de zorro, de perro, de gato, de aves rapaces y carroñeras, cuyo simple contacto con ellas requiere unas abluciones rituales. La sangre también es impura, por lo que un animal que se va a comer debe ser degollado de un solo golpe para que la cabeza no se separe del cuerpo, en dirección a La Meca. El pescado y la caza (no adobada) son lícitos, etc. Las bebidas fermentadas, que resultan de una transformación de frutas o cereales realizada por el hombre, están formalmente prohibidas porque influyen en la conciencia del creyente.

Rezos

Los cinco rezos —uno de los cinco pilares del islam— constituyen una obligación canónica para todos los musulmanes mayores de edad y que estén en su sano juicio.

Se realizan en cinco momentos muy precisos del día: al amanecer, al mediodía, por la tarde, a la puesta del sol y cuando anochezca. Los rezos que no han podido realizarse pueden recuperarse. La forma —inclinaciones, prosternaciones, gestos— y el contenido de los rezos y las fórmulas están determinados por la costumbre y las prácticas de las escuelas jurídicas.

Además de estos actos de adoración diarios, existen rezos rogatorios específicos cuando se produce una muerte, una fiesta religiosa, durante el ramadán o para pedir una gracia particular.

Ramadán

El ramadán es el ayuno, cuya observancia durante un mes seguido constituye uno de los cinco pilares del islam, junto con la profesión de fe, el rezo, la limosna y el peregrinaje a La Meca. El ayuno es una disciplina espiritual en vistas al control de uno mismo y para replegarse hacia el interior de sí mismo. Durante todo el día, la persona que ayuna no puede beber ni comer, no debe disfrutar de ningún placer de los sentidos —fumar, escuchar o tocar música— ni mantener relaciones sexuales. Después del rezo de la noche, se rompe el ayuno con una comida ligera. Más tarde se hace una comida más sustanciosa, así como una colación antes del amanecer. El ayuno es obligatorio para todas las personas sanas; sólo están dispensados las mujeres encinta o que están amamantando y los bebés.

Viernes

Según una conminación del Corán, el viernes, «día de la reunión», el mayor número posible de musulmanes adultos de sexo masculino debe participar en el rezo público en la principal mezquita de la ciudad, llamada «mezquita del viernes». Salvo casos excepcionales, este rezo no debe realizarse en más de una mezquita al mismo tiempo, un hecho que actualmente no puede cumplirse teniendo en cuenta el tamaño de las ciudades. En esta ocasión, un imán hace una prédica desde un púlpito. Esta costumbre no coincide necesariamente con un día festivo, pero los creyentes varones deben abandonar obligatoriamente sus actividades habituales —ante todo, las transacciones comerciales— durante el tiempo que dura el rezo (alrededor de una hora).

Créditos de las ilustraciones

p. 4 © ROGER VIOLLET; **p. 6** © ROGER-VIOLLET; **p. 8-9** © REA/Shepard Sherbell; **p. 10** © MAGNUM/Abbas: **p. 11** © MAGNUM/J. Gaumy; **p. 12** © MAGNUM/ Abbas; **p. 13** © HOAQUI; **p. 14** © HOAQUI/C. Sappa; **p. 15** © COSMOS/S. Sibert; **p. 19** © ARCHIVES LARBOR; **p. 20** © MAGNUM/T. Dworzak; **p. 21** © REA-SINOPIX/R. Cook; **p. 22** © MAGNUM/Abbas; **p. 24** © AFP/D. Chowdhury; **p. 25** © MAGNUM/Abbas; **p. 26** © HOAQUI; **p. 27** © MAGNUM/F. Scianna; **p. 28** © MAGNUM/P. Marlow; **p. 29** © MAGNUM/J. Gaumy; **p. 30-31** © MAGNUM/B. Barbey; **p. 32** © REA-LAIF/P. Bialobrzeski; **p. 33** © SIPA/S. Rasmussen; **p. 36** © ARCHIVES LARBOR; **p. 37** © ARCHIVES LARBOR; **p. 38** © Corbis/Stapleton; **p. 39** © ROGER-VIOLLET; **p. 42** © ARCHIVES LARBOR; **P. 44** © ROGER VIOLLET; **P. 45** © MAGNUM/B. Glinn; **p. 46** © ROGER VIOLLET; **p. 48** © ARCHIVES LARBOR; **p. 50-51** © CORBIS/ Bettmann; **p. 52** © IMPERIAL WAR MUSEUM/ARCHIVES LARBOR; **p. 53** © CORBIS/Bettmann; **p 55** © ARCHIVES LARBOR; **p. 58** © MAGNUM/ B. Barbey; **p. 59** © MAGNUM/S. McCurry; **p. 60** © CORBIS/Hulton Deutsch Collection; **p. 61** © ARCHIVES LARBOR; **p. 63** © ARCHIVES LARBOR; **P. 64** © ARCHIVES LARBOR (DR); **p. 65** © CORBIS; **p. 67** © ARCHIVES LARBOR; **p. 68-69** © ROGER-VIOLLET; **P; 71** © AFP/T. Mahmood; **p. 72** © GAMMA/C. Blue; **p. 73** © CORBIS/Bettmann; **p. 74** © GAMMA/Al Akhbar; **p. 76** © SIPA Solomonov; **p. 77** (arriba) © KEYSTONE; **p. 77** © MAGNUM/Abbas; **p. 78** © MAGNUM/Abbas; **p. 79** © MAGNUM/J. Gaumy; **p. 80** © COSMOS/Katz; **p. 81** © SIPA/Facelly; **p. 82** © SIPA/K. M. Chaudary; **p. 83** © CORBIS/Bettmann; **p. 84** © MAGNUM/abajo; **p. 85** © SIPA-GETTY/M. Wilson; **p. 86** © MAGNUM/Abbas; **p. 88** © SIPA/Burhan; **p. 89** © ROGER-VIOLLET; **p. 92** © HOAQUI; **p. 94** © MAGNUM/S. MCCurry; **p. 95** © MAGNUM/Abbas; **p. 96** © SIPA-GETTY IMAGES/Nickelsberg; **p. 97** © SIPA/Bocxe; **p. 99** © SIPA/Yaghobzadeh; **p. 101** © SIPA-VISUAL NEWS; **p. 102** © SIPA; **p. 103** © MAGNUM/J. Gaumy; **p. 105** © MAGNUM/T. Dworzak; **p. 106** © REA/Sau; **p. 108** © MAGNUM/ Abbas; **p. 110** © SIPA/INDRA; **p. 112** © SIPA/Trippett; **p. 113** © REA-LAIF/ A. Krausel